少女小説を知るための100冊

嵯峨景子

星海社

253

SEIKAISHA
SHINSHO

はじめに

少女小説と聞いて、あなたはどんな作品を頭に思い浮かべますか？　吉屋信子の『花物語』や川端康成の『乙女の港』、あるいはモンゴメリの『赤毛のアン』やオルコットの『若草物語』を挙げる人もいれば、氷室冴子の『なんて素敵にジャパネスク』や折原みとの『時の輝き』などの、コバルト文庫やティーンズハート作品を思い出す人もいるでしょう。

少女小説は１００年以上に及ぶ長い歴史を持つジャンルで、明治から令和の現在まで形を変えながら書かれ／読まれてきました。吉屋信子『花物語』の登場から、戦後に起きた空前の少女小説ブーム、そしてコバルト文庫やティーンズハートの創刊・隆盛を経て、現在ではライトノベルやライト文芸、ウェブ小説の領域にまでその要素は多彩に広がりつつあります。そんな少女小説の歴史や潮流を辿るために、２０２２年までの刊行作品から１００タイトルを選出して紹介するブックガイドとしてまとめたのが、この『少女小説を知るための１００冊』です。国内外の古典的作品から現在の最新作まで１００タイトルを選び、作品の読みどころや歴史的な背景を解説しました。各タイトルには「併読のススメ」という、併せて読みたい作品を紹介するコーナーもあり、両者をあわせると数百作品を取り上げています。

この本では、少女小説を〝少女を主たる読者層と想定して執筆された小説〟と定義しています。けれども少女小説の読者層は時代と共に変化し、2000年以降は高年齢化が進みました。現在の少女小説のメイン読者はかつてのような女子中高生ではなく、20代以上の大人の女性です。というわけで、近年の少女小説の現状と最初の定義にはすでにズレが生じているのです。

加えて本書では、少女読者を想定した作品や少女小説専門レーベルから刊行された狭義の少女小説に止（とど）まらず、ケータイ小説や乙女系小説（ティーンズラブ）、男性向けライトノベルやライト文芸、ウェブ小説などの隣接領域も取り上げています。隣接領域の作品を取り上げる場合は、少女小説的な読みどころのある作品を、あるいは少女小説の歴史を知るうえで紹介しておいた方がよいジャンルの作品をという観点からセレクトしました。本書の目的は少女小説の定義を突き詰めることや、狭義の少女小説だけを取り上げることではなく、隣接領域にも目を配りながらその歴史的変遷（へんせん）や多様な世界を紹介する点にあることをあらかじめお断りしておきます。

　これまでにも筆者は、『コバルト文庫で辿る少女小説変遷史』や『大人だって読みたい！少女小説ガイド』などの、少女小説をテーマにした著作を手掛けてきました。『少女小説を知るための100冊』は『大人だって読みたい！少女小説ガイド』と同じ少女小説をテーマにしたブックガイドであるものの、選書や執筆方針に大きな違いがあります。

『少女小説を知るための100冊』では、コバルト文庫創刊以後の少女小説のみならず、明治期から1970年代までの作品にも光を当てました。近代まで遡ることで、より多様な少女小説の世界と歴史を紹介しています。またガイド部分では、作品の魅力や読みどころを解説しながら、ジャンルにまつわる歴史的背景にも言及するよう心がけました。歴史的な経緯は個別の作品紹介でも触れていますが、ポイントをまとめて読めるよう少女小説史をコンパクトに解説したコラムも入れています。

　さらに、本書では海外少女小説の紹介にも力を入れました。この本では『小公女』や『赤毛のアン』のような古典的名作から、『おちゃめなふたご』のような1980年代に入ってから初めて翻訳された作品、1990年に氷室冴子の企画で刊行された角川文庫マイディアストーリー、『少女探偵ナンシー・ドルー』や『エノーラ・ホームズの事件簿』のようなミステリーまで幅広いラインナップを取り揃えています。

少女小説を取り上げた解説本やムック・研究書は、近代日本の少女小説／海外の翻訳少女小説／コバルト文庫以降の少女小説、のいずれかにテーマを絞って執筆されているケースが多いです。けれども『少女小説を知るための100冊』は、新書という手に取りやすいフォーマットの中で、すべてを横断することを目指しました。この一冊で各ジャンルの人気作や主要作をおさえることができて、読書欲をくすぐるブックガイドとしての役目を果たしながら、その歴史的背景も解説する。そんな欲張りな本なのです。

すでに述べたように、少女小説は長い歴史をもち、またベストセラーとして多くの読者に読まれてきた作品も数多くあります。しかしながら、若い女性読者を中心に支えられてきた少女小説は、文芸批評あるいは若者文化に関する議論などにおいて大きく取り上げられる機会は乏しく、いわば周縁的な位置に置かれて軽んじられてきたことは否めません。今回、新書というかたちを通じて様々な作品を紹介することで、強い支持を得ながら歩んできた少女小説の広がりや変遷について多くの人に知っていただき、文芸の一ジャンルとして認識していただく契機になればと期待を込めて本書を著しました。

それでは、多彩で奥深い少女小説の世界をご案内しましょう。

目次

Section 2 1970年代末〜1980年代

section 3 1990年代

section 4 2000年代

Column

section 5 2010年代~2020年代

＊目次と作品紹介ページでは、左記のように表記しております。

『　』……書名

〈　〉……シリーズ名

＊書誌情報は、２０２２年12月時点で公開されたものに基づきます。

Section 1

草創期～1970年代

no. 01

フランシス・ホジソン・バーネット

『小公女(しょうこうじょ)』

寄宿学校もののルーツ的作品

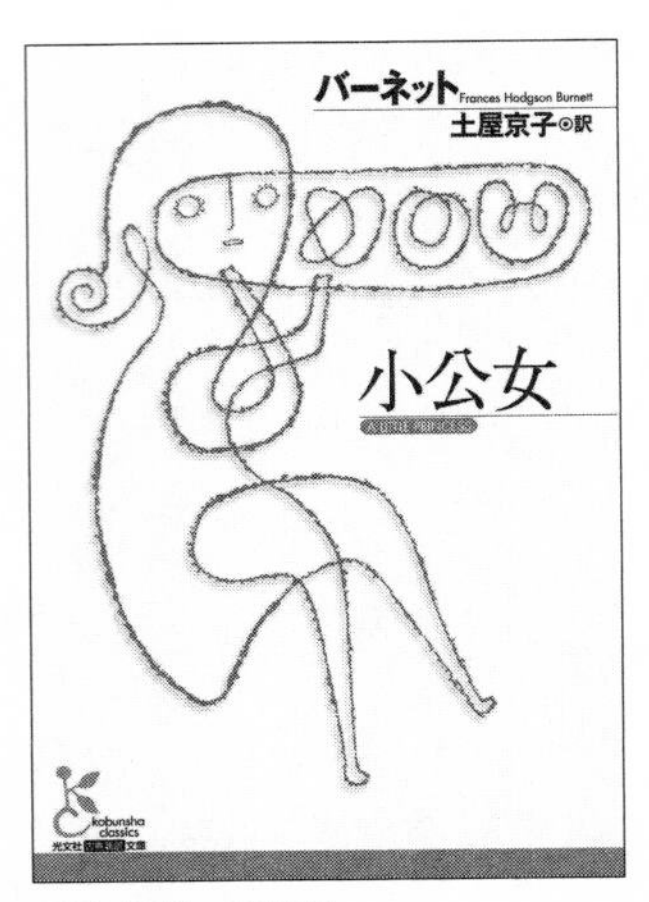

刊行年(原著)=1905年
初邦訳=1893年〜(若松賤子訳「セイラ、クルーの話。」の題の加筆前版)
書影=光文社古典新訳文庫版

あらすじ 裕福なクルー大尉(たいい)の娘セーラは、インドからロンドンに渡り、ミンチン上流女子寄宿学校に転入する。彼女は特別待遇を受け、贅沢(ぜいたく)な持ち物に囲まれた暮らしはまるでお姫さまのようだった。だがその境遇に驕(おご)ることはなく、聡明(そうめい)でお話上手なセーラは他の生徒たちから慕(した)われている。ある時、クルー大尉がインドで急死し破産したとの知らせが届く。大人びて風変わりなセーラを内心では嫌っていたミンチン女史は、彼女を寒い屋根裏部屋に押し込め、下働きとして劣悪な環境でこき使う。誇り高いセーラは持ち前の空想力とプリンセスの気位で辛い境遇に耐え、やがて奇跡が起きた。

併読のススメ 少女小説と親和性の高い古典的翻訳小説といえば、ウェブスターの『あしながおじさん』が思い浮かぶ。孤児院育ちの少女ジュディは文才を認められ、正体を隠した裕福な紳士から奨学金を受けて大学に進学することになった。唯一の条件が、毎月手紙を送ること。

ガイド 『小公女』はバーネットが1887年に「セーラ・クルー」の題で発表したのち、1905年に加筆・発行した小説。日本では明治時代に初邦訳され、以後さまざまなバージョンが刊行されるなど、児童文学の定番として広く読まれてきた作品である。インドで生まれたお金持ちの少女セーラが、ロンドンにある上流女子寄宿学校に入学し、お姫さまのような暮らしから一転、無一文の孤児になるもその後は逆転劇でハッピーエンドを迎える。波乱万丈なストーリーに加え、屋根裏部屋で暮らす自分を牢獄(ろうごく)に繋(つな)がれたマリー・アントワネットの姿と重ねるなど、どんなに辛い目に遭(あ)ってもプリンセスとしての矜持(きょうじ)を失わないセーラの誇り高い姿は強いインパクトを残す。

少女小説的な視点から注目すれば、本作は寄宿学校ものや女子校もののルーツ的作品として位置づけることができるだろう。セーラを取り巻くバラエティに富んだ友人たちとの交流が細やかに描きこまれ、そこに意地悪をするライバルキャラや、ヒール的ポジションの教師なども絡(から)んでいく。クラシックな学園小説としての読みどころが多く、また夜の屋根裏部屋でセーラが仲間と共にお茶会を開こうとする場面などは、このちに登場する寄宿学校ものでも引き継がれている要素といえるだろう。『小公女』の直接的な影響を受けた作品としては、ロンドンからインドに渡った少女シャーロットがオルガ女学院の寄宿舎に入舎するという、高殿円(たかどのまどか)の〈カーリー〉が挙げられる。『小公女』の設定を換骨奪胎(かんこつだったい)した、心ときめく冒険譚(ぼうけんたん)だ。

ジュディは匿名(とくめい)の紳士を「あしながおじさん」と呼び、日々の生活を綴(つづ)った手紙を頻繁(ひんぱん)に送るが……。大学生活を事細かに報告する手紙から溢(あふ)れ出す、ジュディのユーモアと好奇心がまぶしい名作だ。コバルト文庫から出ている我鳥彩子(わどりさいこ)の〈チョコレート・ダンディ〉は、金と身分が目当ての女に絶望している公爵(こうしゃく)のオスカーが、賭(か)けのために小説家志望の孤児アデルを匿名で支援するという『あしながおじさん』を下敷きにした作品。また、一迅社文庫アイリスの創刊ラインナップだった志麻友紀(しまゆき)『パステルと空飛ぶキャンディ』は、『あしながおじさん』的設定に百合風味が加わった寄宿学園小説である。

no. 02

ルイーザ・メイ・オルコット『若草物語』

個性豊かなマーチ家四姉妹を描く不朽の名作

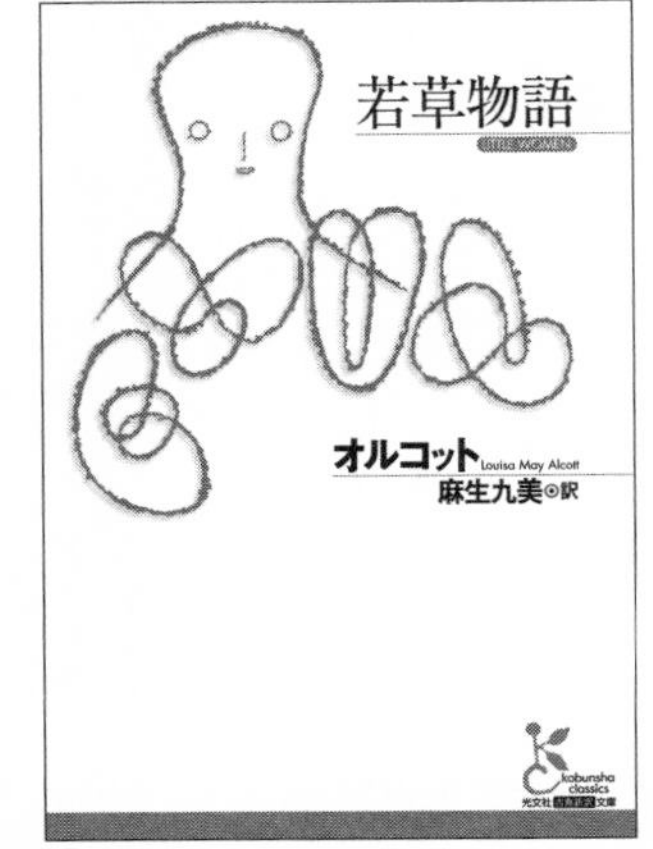

刊行年（原著）＝1868年
初邦訳＝1906年〜（北田秋圃訳『小婦人』）
シリーズ巻数＝全1作＋続編3作
書影＝光文社古典新訳文庫版

あらすじ 南北戦争時代のニューイングランド。貧しくも温かなマーチ家では、父親が従軍牧師として戦地へ赴き、愛情深い母親と個性豊かな四人の娘たちが家を守っていた。長女のメグは美人でしっかり者だが虚栄心があって贅沢に憧れ、男の子のように生きたいと望む快活な次女のジョーは本の虫で作家になることを夢見ている。三女のベスは優しい心の持ち主だが重度の引っ込み思案、おしゃまで気取り屋な末っ子のエイミーは絵が得意。姉妹は隣家で暮らす裕福なローレンス氏や、その孫で音楽好きな少年ローリーと親交を結び、様々な出来事を通じて少女から大人へと近づいていく。

併読のススメ 『若草物語』の4年後に発表されたスーザン・クーリッジの『すてきなケティ』は、おてんばでそそっかしい長女ケティを主人公にした、カー家姉弟の物語。医者のカー博士は早くに妻を亡くし、12歳の長女ケティを筆頭に六人の子どもたちが残された。長女のケティ

ガイド 『若草物語』（原題は『Little Women』）は、アメリカの作家ルイーザ・メイ・オルコットが1868年に上梓した自伝的小説。マーチ家四姉妹の日常を丁寧かついきいきと描いた物語は好評を博し、出版から150年以上の時を経た今も世界中で高い人気を誇る。日本では1906年に北田秋圃が『小婦人』というタイトルで初邦訳し、以後さまざまなバージョンが発売された。現在定着している『若草物語』の名称は、1934年に日本で公開されたキャサリン・ヘプバーン主演の映画で使われており、日本語監修を務めた吉屋信子がこのキャッチーなタイトルを考案したのではないかといわれている。

『若草物語』はフェミニズム小説の嚆矢ともいわれ、とりわけ女らしさというジェンダー規範への反逆者であり、職業作家としての自立を目指すジョーの姿は、これまで多くの女性たちの心を刺激してきた。父親不在のマーチ家で男役を自認し、結婚することを望まず、様々な挫折を繰り返しながらも自らの道を切り開こうと格闘するジョーの姿は、現代の私たちが自己投影できる先進的なヒロインである。2020年には『ストーリー・オブ・マイライフ／わたしの若草物語』という、『若草物語』と『続若草物語』をベースにした新しい映画も制作された。明治維新の年に刊行されたこの現代的な物語は、これからも女性たちの心を照らし続けることだろう。

は本来であれば母親的役割を担う立場だが、彼女はガキ大将のような性格で、気が合わない妹に意地悪をしたり、様々な騒動を巻き起こしたりしてはイジーおばさんに叱られている。ある時ケティはブランコの事故で一時的に下半身不随となり、これをきっかけに精神的な成長をみせるのだった。後半はやや教訓色が強まるが、やんちゃで暴れ馬なケティの奔放な姿は魅力に溢れている。女子校に入学したケティの賑やかな寄宿舎生活を描く『すてきなケティの寮生活』や、イギリスやフランスを旅する観光要素の中にケティのロマンスを織り込んだ『すてきなケティのすてきな旅行』など、続編も併せて読みたい。

no.03

伊澤みゆき「闇に居て」

吉屋信子が憧れた闇の百合小説の書き手

あらすじ 大人たちの言動から、7歳の幼さで自分が醜く生まれたことを悟った筆子。心に消えない傷を負い、劣等感をこじらせていった筆子は、醜さゆえに自分は愛されないと思い込んで世界のすべてを呪っている。女学生になった筆子は松野ひな子という、たくさんの賛美者に囲まれている美しい少女を一方的に慕うようになった。だが彼女の眼中に入らない筆子は、ひな子にいっそ死んでもらいたいと願い始める。そうすれば彼女はすぐに世間から忘れられて、自分のものになってくれるのだと……。ほどなくしてひな子は病を得るが、筆子は歪んだ執着を貫き続けた。

併読のススメ この機会に他の伊澤みゆき作品も紹介したい。「美智さま参る」は、肺を病んで女学校を離れた蔦の物語。蔦は親しい友人の美智さまを想うことで辛い療養期間を過ごしたが、久しぶりに会いに出かけると美智さまは自分ではない別の少女を抱きしめている。「わたしは別

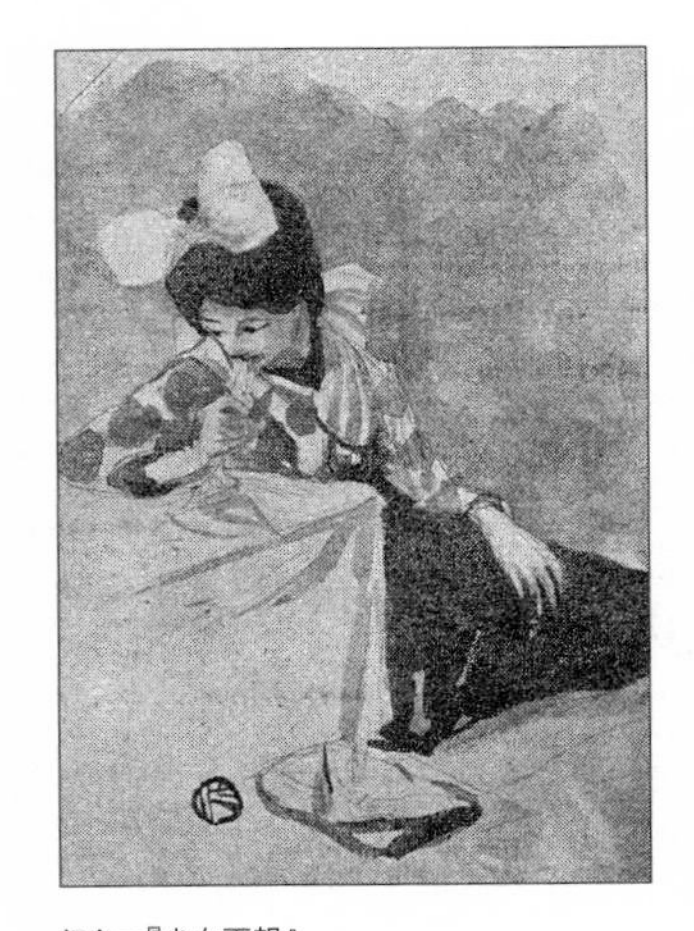

初出＝『少女画報』
掲載年＝1914年
画像＝『少女画報』掲載の「闇に居て」挿絵

ガイド 伊澤みゆき（1890～1973年）は、1912年から1916年まで雑誌『少女画報』で活躍し、60作近い少女小説を発表した作家である。生前に著書が発売されなかったため、その名と作品は長らく埋もれていたが、近年は少女小説の文脈から注目が高まりつつある。少女友愛物語の中に濃密な同性思慕を織り込み、少女の屈折した自意識や強烈な執着をあぶり出した作品は、100年以上の時を経た今でも新鮮な衝撃を与える。伊澤みゆきは吉屋信子が憧れた作家として知られ、後年吉屋はインタビューの中で伊澤になるつもりで『花物語』の第一話を『少女画報』に投稿したと明かしている。

伊澤みゆきは当時の模範的な少女像や少女規範からはみ出すような、苛烈な自我を抱えた少女の姿を描き続けた。中でも代表作の「闇に居て」の主人公筆子の造形は強いインパクトをもたらす。ルッキズムの問題に百合を掛け合わせたテーマ設定も鋭く、その先見性に驚かされる。物語の結末も、通常の少女小説であれば己の心を反省するという教訓的展開を辿るだろう。だが本作は「「ひな子さん。あなたがお死になすったらあたしも死にます。死んだら美しくなれましょうもの」筆子は力強く呟きました。――闇に居て」という一文で結ばれるのだ。国書刊行会から『いっそあの方が死んで下すったなら 伊澤みゆき作品集』の発売が予定されているので、刊行を楽しみに待ちたい。

れたくない。こいしいあなたに別れたくない。こう叫びつつわたしは寂しい浜へかえります。泣きながらかえります。いつまでもあなたを偲びたいため。終りの日まであなたをこいしのんでいたいために、あなたも泣いて下さいますか。ああ。あなたも――」という蔦の、まるで恋人に向けたような叫びが痛切だ。他にも、女王のような貞子によって姉役にされた主人公が、憎しみや葛藤を吐露しながら別れを選択する「春も逝く」や、想いを寄せる下級生に気持ちを伝えられない心の弱いかな子と、そんななか子の気持ちを知り抜いたうえで支配しようとする上級生のみどりを描いた「木犀匂う頃」なども印象的だ。

no. 04

吉屋信子『花物語』

時を超えて読み継がれる少女小説のバイブル

初刊＝洛陽堂
刊行年＝1920年
書影＝河出文庫版

あらすじ 初夏のゆうべ。七人の少女が洋館の一室に集い、懐かしい物語を語りあっていた。「鈴蘭」の語り手は、ミッション・スクール出身の笹島ふさ子。彼女が披露したのは、幼い頃に女学校の音楽教師だった母と共に体験した、夜の講堂に響く謎のピアノ音と、伊太利の少女をめぐるあわれ深いエピソードだった。続いて「月見草」「白萩」「野菊」「山茶花」「水仙」「名も無き花」と語り手を変えながら、女性同士のはかない邂逅や切ない別れ、美しい同性への思慕などが紡がれていく。少女たちは話に聞き入り、吐息をつきながら憧れに潤んだ黒い瞳を見交わすのだった……。

併読のススメ 『花物語』の系譜の吉屋作品としては、『少女の友』掲載の『わすれなぐさ』と『紅雀』をお薦めしたい。性格の異なる三人の少女の三角関係的な友愛や、女学生文化やモダンな都市風俗の描写が魅力的な『わすれなぐさ』は、家庭における男尊女卑に対する少女側

ガイド 吉屋信子の出世作であり、少女小説の代名詞として知られる『花物語』。雑誌『少女画報』に投稿した「鈴蘭」が編集者の目に留まり、1916年から連載が始まった『花物語』は、読者の支持を受けて以後も書き続けられていく。最初の単行本となった1920年の洛陽堂版から現在に至るまで、『花物語』は様々な版元から刊行されている。とりわけ雑誌『少女の友』を刊行する実業之日本社が中原淳一の挿絵で1939年に発売したバージョンは、作品のイメージを決定づける役割を果たし、多くの少女を魅了した。

独特のセンチメンタリズムや悲哀に満ちたストーリーは『花物語』の読みどころではあるが、本作はそれだけに止まらず、現代に通じる問題提起が描かれている。同時代の少女小説が良妻賢母主義に基づく婦徳的な少女像を描く中で、性的な関係までほのめかされる女性同士の恋愛や、家父長制を体現した威圧的な男性への反発、部落差別にもひるまず他者を救おうとする少女の姿などに、吉屋の先進性を見出せる。吉屋は1919年に『地の果まで』で『大阪朝日新聞』の懸賞小説に当選し、以後は大衆小説と少女小説の両ジャンルでヒットメーカーとして活躍した。『少女倶楽部』と『少女の友』という二大少女雑誌を中心に発表された少女小説にも良作が多く、『花物語』以外の作品にもぜひ挑戦してほしい。

の不満にも切り込むフェミニズム小説という一面も持つ。『紅雀』は恵まれない境遇にありながらも誇りを失わない、勝気な少女・まゆみを主人公にしたシンデレラストーリー。自尊心が高すぎるがゆえに素直になれないまゆみの心の成長や、男爵家の跡取りである珠彦とのロマンスが読みどころで、まゆみの凛々しい乗馬服姿は多くの読者を魅了した。講談社の『少女倶楽部』作品では、『あの道この道』が人気を博した。生後まもなく取り替えられて貧しい漁師の子として健気に育ったお嬢さまと、裕福な家庭でわがままに育った漁師の子の数奇な運命を波乱万丈に描いた物語は、『乳姉妹』や『冬の輪舞』というタイトルでドラマ化もされている。

no. 05

水守亀之助『涙の握手』

フェミニンな少年主人公もののロングセラー

初刊＝大日本雄弁会講談社
刊行年＝1925年
書影＝ポプラ社版

あらすじ インドの貧しい商人の息子ヂガーブは、賢くて愛らしい少年だった。彼の両親はとある国の王と王妃であったが戦に敗れて玉座を失い、今は敵国で果物や花を売る商人に身をやつしながら暮らしている。ある時ヂガーブは、父の宿敵である国王ブラフマダッタの庭園に迷い込み、王女のサンターと出会う。ヂガーブの美貌と巧みな笛の腕前を気に入った王女は、以後も彼を花売りとして王城に招き、二人は交流を重ねていった。だが、ブラフマダッタ側に寝返ったパンズ将軍が、ヂガーブの正体に気づく。やがて両親は捕らえられ、ヂガーブの身にも危険が迫るが……。

併読のススメ 講談社の作品で男女の恋愛がモチーフとなった少女小説として、人気叙情画家・加藤まさをの『消えゆく虹』（1929年刊行、のち国書刊行会より復刊）を紹介したい。『消えゆく虹』は当時の少女読み物としては濃厚な異性愛が描かれているが、こうした内容を展開できた

ガイド　『涙の握手』は1923年から『少女倶楽部』に連載された小説。インドを舞台にしたエキゾチックな恋と復讐の物語は、高畠華宵による美麗なイラストも相まって連載時から人気を博し、1925年の書籍化後も版を重ねたロングセラー作品である。戦後はポプラ社から復刊され、また三一書房の『少年小説大系 第14巻』にも収録されている。

講談社の創業者である野間清治は『少女倶楽部』の創刊にあたり、「幼き恋愛を扱えるものは、薄紗を隔ててほのかに花を観るごとき気品高きものたるを要す」とその方針を明示した。『少女倶楽部』は他の少女雑誌よりも異性愛描写に対して積極的な姿勢を見せており、その方針はヂガーブとサンターが互いに惹かれ合う様を描いた『涙の握手』からもうかがえる。また『涙の握手』の最大の特徴といえるのは、フェミニンな男性主人公と勇ましい女性キャラクターの設定だ。美貌や笛の腕前が特徴で、たびたび涙を流すヂガーブは当時の模範的な男らしさとはほど遠く、逆に王女のサンターや彼女の侍女シーターは知力と行動力に溢れている。とりわけシーターは、物語最大の悪役であるパンズ将軍を刺殺する活躍をみせる。本作は少女小説の文脈ではほとんど言及されることがなかったが、異性愛をテーマにしたストーリーや、当時のジェンダー規範を攪乱するようなキャラクター造形などから改めて注目したい作品である。

のも書き下ろし作品だからこそかもしれない。サーカス一座に身を置く澄三と鞠子は、幼い頃から互いを慕い合っていた。ある時、澄三は強欲な座長が恐ろしい計画を立てていることを知る。鞠子は実は資産家の令嬢で、座長は彼女を殺して自分の娘君江を身代わりにしようと企んでいた。鞠子を愛する澄三は彼女を救おうとサーカス一座と争いを繰り広げ、澄三に片思いする君江は父を裏切って二人を助けようとするが……。澄三と鞠子と君江の三角関係を描いた恋愛描写や、澄三の自死に終わる悲劇的で救いのない結末を含め、当時の少女小説としては大人びた作風に仕上がっている。

no. 06

吉川英治『ひよどり草紙』

『少女倶楽部』発の国民的人気作品

あらすじ 時は慶長18年。徳川家康の病気全快を祝い、朝廷から孫の竹千代（家光）に世にも珍しい紅ひよどりが下賜されることになった。筧大学頭と玉水甚左衛門はひよどりを江戸城まで運ぶ使者に選ばれるが、丹波守とその甥・為永陣太郎の奸計により、ひよどりが逃げてしまう。二人は責任を取って切腹しようとするが、思いがけない命令が下された。二人の子どもの筧燿之助と玉水早苗がひよどりを捕まえて持ち帰れば父の罪は許されるが、救われる命はひとつだけ。幼馴染で仲の良い燿之助と早苗は父の命と家名を賭けた敵同士となり、命がけでひよどりを捜し出そうとするが――。

併読のススメ 吉川英治は『少女の友』でも『胡蝶陣』や『やまどり文庫』などの時代小説を手掛けている。1937年から38年にかけて連載された『やまどり文庫』は、『古今和歌集』下の巻（山鳥の巻）をめぐる昭和に書かれたビブリオ小説だ。正直屑屋とあだ名される勢六は御文

初刊＝大日本雄弁会講談社
刊行年＝1927年
書影＝吉川英治文庫版

ガイド 『ひよどり草紙』は1926年から1927年まで『少女倶楽部』に連載された小説。講談社を創業した野間清治は、女子であっても任侠や武勇に共感するはずだという編集方針を掲げ、『少女倶楽部』には他の少女雑誌では少ない講談小説や時代小説も多く掲載された。『少年倶楽部』連載の『神州天馬俠』で全国の少年を熱狂させた吉川英治の初少女雑誌作品『ひよどり草紙』は、少女のみならず老若男女から人気を博し、その後四度にわたり映画化されている。少女雑誌の時代小説はリアルタイムで支持を受けても、後年言及される機会は少ない。そんな中で歴史小説家の永井路子は『ひよどり草紙』や『月笛日笛』の熱心な愛読者で、小学校一年から五年まで『少女倶楽部』の忠実な愛読者だったと、吉川作品に夢中になった少女時代の思い出を語っており、その言葉からも当時の熱狂ぶりが伝わってくる。

思いがけない形で仇同士となった燿之助と早苗の数奇な運命や、徳川・豊臣をめぐる陰謀を描いた『ひよどり草紙』は、豊臣側の間者で卑劣な陣太郎、陣太郎に姉を殺されて復讐を誓う少年麻吉など、敵味方共に個性の際立ったキャラが入り乱れて物語が展開する。早苗は戦うヒロインではないが洞察力に優れた聡明な少女で、甘言を弄して近づいてきた陣太郎の本性を真っ先に見抜き、求婚もきっぱりとはねのける。魅力的な少女キャラが活躍する極上のエンターテインメント小説だ。

庫奉行の近江典城から屑を譲り受けたが、その中に貴重な紀貫之の直筆本である『古今和歌集』山鳥の巻が紛れ込んでいた。その価値に気づいた近所の浪人熊木為彦は本を奪って逃走し、勢六と典城も殺害する。勢六の娘の環と典城の息子鏡太郎は本を取り戻すために為彦を追い、そこに盗賊一味のさそり組なども加わって本の争奪戦が繰り広げられていく。男性キャラのみならず、気が強く行動的な環も活躍をみせる時代小説だ。なお『少女の友』の黄金時代を築いた編集長（主筆）の内山基は、時代小説には少女に相応しいものが少ないというスタンスをとり、彼の代にはほとんど掲載されなくなった。

no. 07

横山美智子『嵐の小夜曲』

『少女の友』連載の『少女倶楽部』型小説

あらすじ　医者の娘でつつましい暮らしをおくる和泉小夜子と、裕福な旅館の娘の丘陽子は、家が隣に並ぶ親友同士。ある時、栄玉という少女を連れた旅芸人の男の不始末で火事が起き、小夜子も陽子も家を失ってしまう。小夜子の父は保険金目的の放火を疑われたのち急死、困窮した一家は東京に移った。彼を疑った陽子の父は心を入れ替えて孤児院運営を始め、栄玉を引き取るものの、金銭的に行き詰まっていく。東京で苦労を重ねる小夜子は、バイオリン教師の小郡綾子に音楽の才能を見出されてチャンスを摑む。その綾子は幼い頃に行方不明となった娘の行方を今も捜し続けていた……。

併読のススメ　『少女倶楽部』型の少女小説の系譜を受け継いだヒット作であり、1938年から39年まで連載されて人気を博したのが菊池寛の『心の王冠』だ。女学校3年生の真室町子は美しく成績も学年トップの生徒だが、父が病に倒れたため一家は貧しく、町一番の資産家であ

初刊＝大日本雄弁会講談社
刊行年＝1930年
書影＝妙義出版社版

ガイド

『嵐の小夜曲』は1929年から30年にかけて『少女の友』に連載されたが、実業之日本社ではなくライバル雑誌『少女倶楽部』を発行する講談社から書籍化された作品だ。小夜子と陽子、小夜子の兄で家族思いの苦労人の雄一、健気な栄玉など、高潔な心を失わずに幾多の苦難を乗り越えていく少年少女の姿を描いた本作は、忍耐・努力や親孝行を推奨する『少女倶楽部』の理念を体現した小説といえる。人気抒情画家の加藤まさをの装丁・挿絵で刊行された単行本は好評を博し、版を重ねていった。『嵐の小夜曲』は『少女倶楽部』型小説の方向性を決定づけ、以後も加藤武雄の『海に立つ虹』や佐藤紅緑の『夾竹桃の花咲けば』などのヒット作が続く。叙情的かつ都会的なセンスに溢れた少女小説に注目が集まりがちであるが、同時代の受容を振り返ると、『嵐の小夜曲』型の作品が大衆的な人気を得ていたのである。

横山美智子は黒田道夫などの名義で少年小説でも活躍し、『級の光』などの著作もある。尾崎秀樹の『夢をつむぐ 大衆児童文化のパイオニア』（光村図書）収録のインタビューでは、『少女の友』編集者の東 草水にお世話になった話と共に、東に出した手紙が東名義で『少女の友』に勝手に発表されたことや、代作を書くよう強いられたこととも語られている。当時の少女雑誌編集部が作家を軽んじるような振る舞いをしていたことをうかがわせる、時代的証言ともいえよう。

る遠山家の援助を受けて生活している。町子と同級生の遠山家の娘・典子は、彼女を女中扱いしたうえで、陰湿かつ執拗にいじめていた。担任の村田先生は町子を気にかけているが、典子の横暴を止めることはできない。ある時学校に、侯爵の血をひく美年子姫が入学する。彼女は町子を気に入り、二人は友情を築くが、それが典子を逆上させて嫌がらせが加速した。典子の徹底したヒールぶりと、健気な町子の対比が鮮やかで、ドラマチックな展開が読者を飽きさせない。典子に救済をもたらす結末はやや物足りなく感じるが、美しく豊かな心が人々を感化するという教訓を描くためには必要な展開なのだろう。

no. 08

由利聖子『モダン小公女』

とびきりポップでユーモラスな少女小説！

あらすじ サア坊こと利根サツキは幼い頃に両親を亡くし、母の兄である「パパのおじさん」と貧しいながらも楽しく暮らしていた。ところがある日、学校に前A党総裁・田原是高の執事が現れ、サア坊は豪邸に連れていかれる。田原の一人息子だったサア坊の父は、舞台女優だった母との結婚を機に実家との縁を絶っていた。年老いた祖父は唯一の血縁であるサア坊を見つけ出し、彼女の幸せを願う伯父は姿を消す。境遇が一変したサア坊は女学校の自由学院に編入して、愉快な仲間と共に楽しく賑やかな学生生活をおくる。だが彼女は突然別れた伯父との再会を願い続けていた。

初刊＝新泉社（三巣マミコ名義）
刊行年＝1935年
書影＝偕成社版

併読のススメ 由利聖子の代表作である『チビ君物語』は、背が低いために「チビ君」というあだ名をつけられた少女・初子の物語。家族が満州に行ってしまったため、初子は母の奉公先にお手伝いを兼ねて預けられるが、その家の「利ィ坊」こと利恵子はわがままで、様々な意地悪を

ガイド 戦前の作品の中で、とびきりポップでユニークな少女小説として紹介したいのが『モダン小公女』だ。本作の読みどころは、主人公のサア坊が入学した自由学院での女学生ライフ。お茶目な少女たちの暮らしぶりが、同時代の社会風俗を反映しつつ、ユーモアたっぷりに活写されている。ユーモアは由利聖子の作品全般に通じる特徴ではあるが、とりわけ『モダン小公女』では弾けており、サア坊の一人称は「あたし」、彼女の友人となる執事の令嬢・千萬子は「ボク」を使うなど、女学生文化のやんちゃな一面が切り取られている。『モダン小公女』は雑誌初出時から松本かつぢがイラストを手掛け、そのキュートな絵柄は由利の作風にぴたりとはまっていた。イラストレーターの的確なセレクトという意味でも、本作を高く評価したい。

本作の初出は『少女画報』で、ミス・マミコ（三巣マミコ）名義で1934年に発表された。由利聖子というペンネームは、『少女の友』連載の『チビ君』初回から使われ始めた。『チビ君物語』が代表作として知られているが、個人的には『少女の友』主筆・内山基の編集方針が反映された知的な女学生向けの作風よりも、『少女画報』発表の軟派系女学生テイスト満載の作風の方が好み。上流の山の手から下町まで、同時代文化を反映した作風や機知に溢れたストーリーなど、今後の再評価が期待される作家の一人である。

されるのだった。利恵子の兄で中学生の「修三さま」は妹を諌め、チビ君を気遣ってくれる優しい人である。その後初子の家族は帰国してチビ君は家に戻り、女学校に通うようになる。強情で勝気な利恵子と健気なチビ君の関係も変化し、二人の間に友情も生まれていくが、利恵子の癇癪がたびたびトラブルを引き起こす。当時の少女小説では珍しく、「修三さま」というさわやかかつ等身大の異性がメインキャラクターとして登場するのも興味深い。本作は1934年から36年にかけて『少女の友』に連載されて人気を博し、のちに『続チビ君物語』も刊行された。

no. 09

川端康成『乙女の港』

お姉さま二人の間で揺れるエス小説の代表作

あらすじ 横浜のミッション・スクールに入学した三千子は、5年生の洋子から奥ゆかしい手紙を受け取った。教室に戻ると、4年生の克子からも手紙が届いている。女学校には上級生と下級生が一対一で親密に交わる「エス」と呼ばれる関係があり、三千子は洋子を選ぶが、克子は諦めずに二人の間に割って入ろうとした。裕福な牧場の娘で誰にでも優しいが、精神を病んだ母をもち、どこか陰りのある洋子。一方の克子は勝気で活発な性格で、三千子を独占しようとする。お姉さまを慕いながらも、三千子は洋子とは異なる魅力を持つ克子にも惹かれてしまうのだった。

併読のススメ 文豪・川端康成は少女小説も手掛けており、戦前は『少女倶楽部』や『少女の友』、戦後は中原淳一が創刊した『ひまわり』などで活躍した。『少女の友』連載の『美しい旅』は、目が見えず耳も聞こえない6歳の花子が主人公の物語。聾盲教育にも言及した先駆

初刊＝実業之日本社
刊行年＝1938年
書影＝実業之日本社文庫版（少女の友コレクション）

ガイド 「エスっていうのはね、シスタア、姉妹の略よ。頭文字を使ってるの。上級生と下級生が仲よしになると、そう云って、騒がれるのよ」。1937年から38年にかけて『少女の友』に連載され、一大ブームを巻き起こした『乙女の港』。本作では上級生と下級生が親密な関係性を築く「エス」が描かれており、「エス」を広く知らしめた作品ともいわれている。引用箇所は、誰とだって仲よくしていいのでしょうと無邪気に言う三千子に対して、エスを説明するクラスメイトの言葉だ。

『乙女の港』はノーベル文学賞を受賞した文豪・川端康成による少女小説であるが、のちに川端の弟子である中里恒子が執筆し、川端が加筆・修正して発表したことが明らかとなった。本作に通底するリアリティのある女学生文化の描写は、横浜紅蘭女学校に通っていた中里自身の体験が反映されているのだろう。『少女の友』の専属画家として人気を博した中原淳一が『乙女の港』の挿絵を手掛けており、夢見るような瞳をもった独特のイラストも本作の人気を後押しした。人形のように可愛らしい三千子と、奥ゆかしく大人びた洋子、そしてライバル役で小悪魔的な魅力のあるボーイッシュな克子。個性が異なる三人の少女を中心に、女学生同士の友愛や嫉妬、そしてスクールライフを小説と挿絵で紡ぐ『乙女の港』は今もなお人気が高く、実業之日本社からは完本も発売された。

的な作品として近年注目を浴びている小説である。『ひまわり』連載の『万葉姉妹』は、生き別れて二度と会うはずのない姉妹が、そうとは知らずに同じ家で暮らし始める物語。資産家の娘として甘やかされて育った姉の安見子と、田舎で育った健気な妹の夏実を中心に、少女たちの細やかな心理を繊細に描いた。戦後に人気を博したバレエを物語の要素に取り入れたところにも、川端の少女文化への理解の深さがうかがえる。『歌劇学校』も『ひまわり』に連載された長編小説で、歌劇学校の生徒たちの日常がいきいきと描かれた作品。なお本作は、元宝塚歌劇団員だった川端の母の代作だといわれている。

no. 10

森田たま『石狩少女』

聡明な文学少女の多感な感情に迫った名作

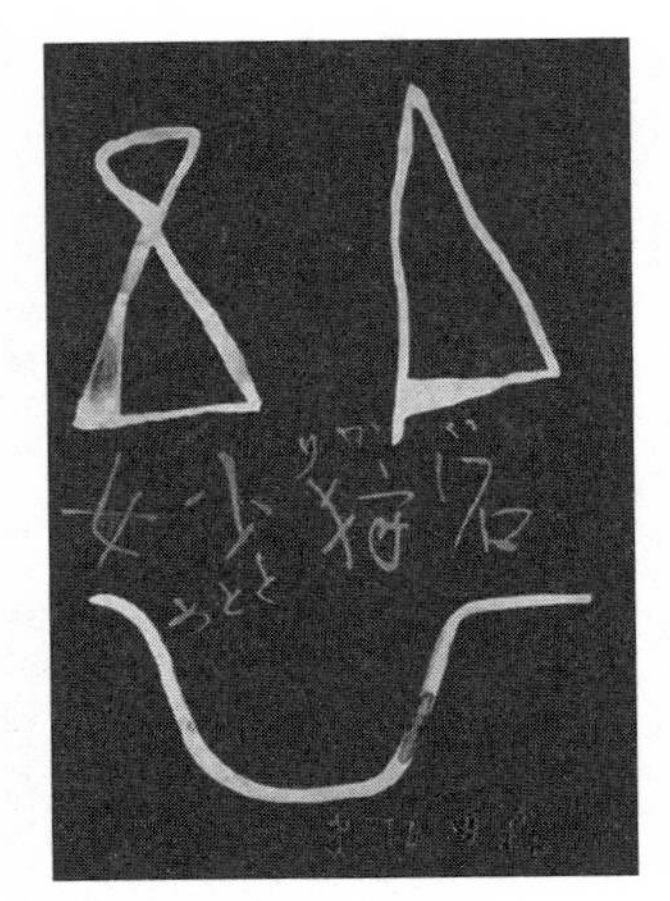

初刊＝実業之日本社
刊行年＝1940年

あらすじ　女学校2年生の野村悠紀子は、利発で感受性の強い文学少女だった。悠紀子は女学校の入学試験の作文で、良妻賢母になろうと思ったことはなく、将来は学問で身を立てたいと書く。そんな彼女の才気を英語教師・土屋壮吉は認め、あなたは文学で身を立てられる人ですと応援してくれるのだった。悠紀子は雑誌『少女の國』に投稿しているが、そこで知り合った相手が女性を騙った男だと判明し、あらぬ疑いを受けてしまう。家族や同級生、周囲の男性に対する苛立ちや反発など、15歳から17歳に至るまでの少女の繊細かつ潔癖な自意識が、札幌の豊かな自然と共に綴られる。

併読のススメ　連載を経ずに出版された少女小説としては、他に松田瓊子の作品が挙げられる。小説家・野村胡堂の次女である瓊子は、1937年に教材社から『七つの蕾』を刊行するが、1940年に23歳の若さで夭折。生前に執筆された小説は死後夫や父の手によりまとめられて出

ガイド

『石狩少女』は『もめん随筆』などで知られ、参議院議員も務めた森田たまの自伝的長編小説。森田は明治期に人気を博した博文館の雑誌『少女世界』の常連投稿者として知られ、当時の少女雑誌で実際にあった異性トラブルが作中に取り入れられているのが興味深い。帝大生の相澤一郎に「この子はいまにきっとすばらしいヴァンプになるぜ」と言われ、幼い日の思い出を俗悪な目でしか見れない男は恥を知るがよいと憤るなど、男性に対する怒りが作中でもたびたび描かれる。物語の最後では「あたし、決して結婚なんかしないわ。決して結婚しないわ」と涙を流すなど、良妻賢母への抵抗が描かれた少女小説としても特異な位置を占める。少女の鋭敏な感受性をベースに、甘やかな感傷や冷徹な内省を描いた本作は、文学少女ものの傑作であり、入手困難なのはいかにも惜しい。今後の復刊や再評価が期待される一作だ。

戦前の少女小説は雑誌に発表されるのが通例で、そのうえで一部作品が書籍化されていった。だが『石狩少女』は雑誌に連載されておらず、書き下ろしで出版されたややイレギュラーな作品だった。実業之日本社は雑誌『少女の友』の版元であり、村岡花子は本誌の名物コーナーのブックレビューで『石狩少女』を取り上げて紹介している。良妻賢母を打ち出した講談社の『少女倶楽部』とは異なる個性を持つ、『少女の友』の系譜に属する少女小説である。

版された。戦後、中原淳一が創業したヒマワリ社から『紫苑の園』が刊行されて好評を博し、続編の『香澄』や『七つの蕾』なども続いて発売される。瓊子の作品のベースにはキリスト教への信仰があり、オルコットの『若草物語』やスピリの『ハイジ』などの影響を受けた、西洋の香りが漂う清純な作風が特徴だった。代表作である『紫苑の園』は、武蔵野郊外にある寄宿舎「紫苑の園」に入園した香澄の物語で、寄宿生との友情や賑やかな生活、病気の母との永遠の別れと喪失感の克服などが描かれる。続編の『香澄』は、親友の兄に心を惹かれて愛を育む香澄のロマンスを中心に展開する。

no. 11

大林清『母恋ちどり』

『クララ白書』しーのが愛読する少女小説

あらすじ 両親を亡くした清川ゆみ子は、桂一家に引き取られた。桂家にはゆみ子と同い年の娘の静子がいるが、彼女は桂家の入婿である俊介と、亡き前妻の娘。後妻の邦子は母の旧友であるが、実はゆみ子の実母であるという秘密を抱えていた。以前から邦子を疎んでいた叔母の順子は、ゆみ子と邦子の関係に気が付いてしまう。順子は二人が共謀して桂家の財産を奪おうとしていると静子に吹き込み、当初は良好だったゆみ子と静子の仲は悪化し、家族の間に亀裂が生じ始める。金遣いが荒い順子は桂家の財産を目当てに静子を取り込み、ゆみ子と邦子を追い出そうと画策するが——。

併読のススメ 1924年に城しづか名義で初の著作『薔薇の小径』を上梓し、少女小説家やエッセイストとして活躍した城夏子も、この時期には母子ものを手掛けている。1953年にポプラ社から発売された『母星子星』は、戦争によって母親と生き別れた姉妹が母を捜し出すと

母恋ちどり
大林　清

初刊＝ポプラ社
刊行年＝1950年
書影＝少女小説名作全集第12巻

ガイド 『母恋ちどり』は1950年にポプラ社から刊行された大林清の少女小説で、1961年には少女小説名作全集にも収録された。本作は氷室冴子(ひむろさえこ)の『クララ白書ぱーとII』に登場するので、そこで知った読者もいるだろう。古臭い少女小説を愛好するという設定の主人公しーのは、愛読書として吉屋信子(よしやのぶこ)の『花物語』『紅雀(べにすずめ)』『わすれなぐさ』と並び、『母恋ちどり』の名前を挙げている。

第二次世界大戦後に少女小説は空前のブームを迎え、戦前期に刊行された代表的な作品の復刊に加え、新たな少女小説も大量に生み出されていった。この時期に人気を博したのは、「母子もの」と呼ばれるジャンルである。戦災によって家族が引き裂かれることが珍しくなかった世情の中で、母親捜しをするという母子物語は読者の親近感を誘ったのだろう。『母恋ちどり』のストーリーには戦争要素は絡(から)んでいないが、思いがけない形で生みの母と再会したゆみ子の物語もある種の母子ものといえる。実の親と育ての親が入り交じる複雑な人間関係をベースにした物語は、途中からサスペンス的な色を帯びていく。物語の悪役である叔母の順子のたくらみに加え、死んだと思われていたゆみ子の実の父親で邦子の最初の夫である村瀬真吾(むらせしんご)が登場し、金を無心する。桂家の財産のひとつである指輪をめぐって、私立探偵も加えた情報戦が展開されるなど、スリリングな展開が見どころだ。

いう、このジャンルならではのお約束を盛り込んだ物語である。著名な科学者の父と西洋舞踏家の母のもとに生まれたみどりと紅子(べにこ)の姉妹は、祖父母の家に預けられ、満州で仕事をする両親の帰国を待っていた。しかし日本は敗戦を迎え、満州にいた父はようやくの思いで帰国し、母は事件に巻き込まれて殺されたと告げる。その後も姉妹の身には様々な苦難が降りかかるが、死んだはずの母の姿が目撃されるようになり、再会を願うみどりと紅子は彼女に会おうとするが……。城夏子はエッセイに魅力的な作品が多く、『薔薇の小筐(こばこ)』や『おてんば七十歳』、『薔薇の花の長い服』などもお薦めだ。

no. 12

三谷晴美（瀬戸内寂聴）『青い花』

生活の糧としての少女小説執筆

あらすじ 友人だった佐野由利子が亡くなって早一年。一周忌の命日に、須藤典子はかつて慕った懐かしい牧先生に、青い花を同封した手紙を送る。手紙には典子が犯した恐ろしい罪と後悔がしたためられていた……。正反対な性格ながら無二の親友となった典子と由利子。物語や詩を書く典子は作家を、挿絵を手掛ける由利子は画家になることを夢見ていた。だが牧先生をめぐり、典子は少しずつ心の中に嫉妬を芽生えさせていく。そしてある日の行動が、由利子の死を招いてしまうのだった。牧先生にすべてを懺悔した典子は、自らの罪を背負いながら、それでも生きていくことを誓う。

併読のススメ 瀬戸内寂聴と同じ『少女世界』からデビューし、のちに芥川賞を受賞する津村節子も、少女小説やジュニア小説を手掛けながら家計を支えていた作家の一人だ。『青い実の熟すころ』は柏木家の三姉妹の成長を描く物語で、『女学生の友』の付録として執筆されたの

初出＝『少女世界』
掲載年＝1950年
書影＝『青い花 瀬戸内寂聴 少女小説集』（小学館）

ガイド　半世紀以上にわたり、物語を紡ぎ続けた瀬戸内寂聴。彼女の作家としての歩みは、三谷晴美名義の少女小説から始まった。恋のために夫と娘を捨てて出奔した寂聴は、京都大学医学部附属病院の図書室勤務時代に少女小説の執筆を始め、1950年に富国出版社の雑誌『少女世界』に投稿した「青い花」が掲載されてデビューする。その後は少女小説で生計を立てながら文学修業を続け、1957年に「女子大生・曲愛玲」で新潮社同人雑誌賞を受賞。これを機に寂聴の少女小説時代は終わりを告げた。

寂聴の目標は大人の小説を書くことであり、少女小説はあくまで生活の糧だった。とはいえ、それは作品に見るべきものがなかったことを意味しない。優れた心理描写や、戦争の爪痕が残る時代の中で前向きに生きようとする姿など、戦後を生きる少女少年が巧みな筆致で描かれている。寂聴の少女小説は埋もれて顧みられることがなかったが、2010年代に入ってから再評価が進み、2017年には「95歳にして初の少女小説集」と銘打たれた『青い花　瀬戸内寂聴少女小説集』も刊行された。本書は小学館雑誌掲載の作品を中心に編まれており、巻末には少女小説作品リストも収録されるなど資料性も高い。繊細な女学生心理に切り込んだ物語から、無邪気な少女たちのユーモラスな小説、エンターテインメント性の高い少女時代小説まで、多彩な作品が収録されている。

ち、1968年に集英社コバルト・ブックスで単行本化された。

女流文学賞などで知られる円地文子も、文壇から評価を得られなかった不遇時代に少女小説を執筆することで糊口をしのいでいた。円地の『三色菫』（偕成社、1948年）は、性格や境遇の異なる三人の少女たちを中心とした物語で、破産した元令嬢が虚栄心から教室にあるお金を盗んで孔雀石のブローチを購入する事件と、それをめぐる少女たちの応対がとりわけ印象に残る。文学的な地位を確立した後は少女小説時代をキャリアから除外する傾向があり、『円地文子全集』でも少女小説が収録されないばかりか、年譜にも記載されなかった。

no. 13

ルーシー・モード・モンゴメリ

『赤毛のアン』

子どもから大人まで楽しめる名作小説

あらすじ カナダのプリンスエドワード島に住むマシュウとマリラの年老いた兄妹は、農場を手伝える男の子を養子にしようと、孤児院から子どもを引き取ることにした。ところが手違いでやってきたのは、空想好きでおしゃべりな赤毛の少女・アン。当初は孤児院へ戻そうとするも、アンのおしゃべりは内気で女性が苦手なはずのマシュウの心を捉え、気が付けばマリラも彼女にほだされていた。自然豊かなグリーンゲイブルズで新しい暮らしを始めたアンは、学校に通いダイアナという親友にも恵まれる。だがアンは騒ぎを起こす名人で、彼女の行動は思いもよらぬ騒動を呼び起こす。

刊行年（原著）＝1908年
初邦訳＝1952年（村岡花子訳）
シリーズ巻数＝全1作＋関連作10作
書影＝文春文庫版

併読のススメ 孤児の少女を主人公にした『赤毛のアン』型の物語として、エレナ・ポーターの『少女ポリアンナ』（木村由利子訳）を紹介したい。亡父から巨万の遺産を受け継いだミス・ポリーは金持ちだが気難しく頑なで、一人孤独に暮らしている。ある日彼女のもとに、亡き姉の遺児

ガイド 『赤毛のアン』は、カナダの作家L・M・モンゴメリが1908年に発表した小説。11歳の少女アンがカスバート家に引き取られてからの日々と、彼女が巻き起こす愉快な事件の数々を描いた物語は、古典的名作として今も人気が高い。はにかみ屋のマシュウと、現実主義者で厳格なマリラの兄妹の前に現れたのは、溢れんばかりの想像力とおしゃべりで人々の度肝を抜く、愛情に飢えた孤独な少女だった。カスバート兄妹の生活は一変し、二人はアンの奇妙な言動に振り回されつつも、それぞれの形で彼女を深く愛するようになる。プリンスエドワード島の豊かな自然や、食べ物や衣服に関する細やかな描写も魅惑的で、アンが生きる世界が鮮やかに浮かびあがってくる。アンとダイアナの友情や、アンにちょっかいをかけるギルバートとのやきもきする関係も作品の読みどころだ。

日本では1952年に村岡花子によって初邦訳され、原文のニュアンスを巧みに汲み取ったその訳は、我が国のアン人気に貢献した。『赤毛のアン』は児童文学だと見なされがちだが、原書はシェイクスピア劇や英米詩の古典、聖書の名句がふんだんに引用された、大人のための文学作品でもある。松本侑子による、英米文学からの引用を解説した訳注付きの全文訳を読むと、これまでの作品に対する印象ががらりと変わるだろう。本作は子どもから大人まで楽しめる、懐の深い作品なのである。

が天涯孤独の身になったと知らせる手紙が届き、あくまで義務感で11歳の姪ポリアンナを引き取った。ポリーは親愛の情をみせることなく、彼女を屋根裏部屋に押し込める。だがポリアンナは子どもの頃からの習慣である「何でもうれしいゲーム」を続け、ありとあらゆる状況を楽天的に解釈してみせるのだった。そんな彼女の奇妙な言動の数々は、周囲の大人たちの凝り固まった心を解かしていく……。本作は刊行当時のアメリカでポリアンナイズム（極端な楽天主義）という新語を生み出すほどのブームになった。アンとはまたタイプの異なる、エキセントリックな少女を主人公にしたヒューマンドラマである。

no. 14

西條八十『人食いバラ』

少女殺しを企む麗人が暴走する過激な少女小説

あらすじ 貧しい孤児の加納英子はある日突然、余命わずかな元男爵・向井三郎から莫大な遺産を譲られる。三郎には春美という美しい姪がおり、彼女は遺産を受け取れないにもかかわらず英子の幸運を祝福した。だが春美は内心では不満に思い、英子を殺そうと企む。運転する車で轢き殺そうとするが失敗し、以後も様々な策略をめぐらして英子を亡き者にしようとした。三郎のもとで働く相良弁護士は春美には「悪い病気」があると忠告するが、英子は春美の言葉を信じ、相良に不信感を募らせていく。ある夜、春美は殺人狂で精神科に収容された間屋原博士を連れ出して英子の家を襲わせた。

初刊＝偕成社
刊行年＝1954年
書影＝戎光祥出版版

併読のススメ 『人食いバラ』と併せてお薦めしたいのが、『あらしの白鳩』だ。本作は1952年から1960年まで雑誌『女学生の友』に連載された長編小説で、正義と愛のしるしとして胸に白鳩のバッジをつけた少女三人組（日高ゆかり、辻晴子、吉田武子）が活躍して少女を救い、巨

ガイド 作家や詩人、作詞家として著名な西條八十。彼は1920年代から60年頃までの長期にわたって、多数の少女向け読み物を書き続けた少女小説家としての顔も持つ。戦前の作品では『少女倶楽部』連載の『花物語』や『天使の翼』、『少女の友』連載の『古都の乙女』などが代表作といえるだろう。だが彼の作品でとりわけ面白いのは、1950年代に発表された少女主人公の怪奇小説や冒険小説、探偵小説の系譜である。

　中でも春美が英子を殺そうとユニークな手口で追いつめる『人食いバラ』は、春美のぶっ飛び具合が凄まじく、特異な作風と内容は強烈なインパクトを残す。健気な主人公と彼女をいじめる意地悪な少女というのは少女小説の定石だが、殺人を企む春美のようなキャラ設定は極めて異例だろう。殺人狂の博士をけしかけたり、天然痘の少年をこっそり寝床に入れて英子を感染させようとするなど、春美が繰り出す殺人手法の数々は本作の読みどころとなっている。なお本作は『少女クラブ』連載作品で、殺しを正当化するために、春美は生き物を殺してしまう「悪い病気」を持っているという設定がとられているのも興味深い。西條八十の1950年代の作品の中には百合を打ち出したものもあり、少女同士のキスシーンが登場する西部小説『アリゾナの緋ばら』（ポプラ社、1954年）など、百合小説の系譜も再評価されるべきだろう。

悪と戦う物語である。本作は少女戦隊物の元祖ともいわれ、マニア的な人気を博している。物語が進むにつれて「おとめべんけい」こと吉田武子が主役となり、武子がある事件で助けた少女茉莉子との百合描写も登場する。本作は1954年連載分までは偕成社から単行本化されたものの、それ以降がまとめられることはなかった。だが2015年から芦辺拓編の私家版として書肆盛林堂から復刻され（タイトルは雑誌連載時の『あらしの白ばと』に戻されている）、最終章「パリ冒険の巻」まで書籍化された。今となってはこの復刻版も入手困難ではあるが、興味のある人はぜひ探してみてほしい。

no.15

キャロリン・キーン〈少女探偵（しょうじょたんてい）ナンシー・ドルー〉

永遠の18歳の美少女探偵ナンシー・ドルー

あらすじ　18歳のナンシー・ドルーは正義感が強く好奇心が旺盛（おうせい）な女の子。ある日ナンシーは、貧しい暮らしをおくる年老いたターナー姉妹と知り合う。二人は二ヶ月前に亡くなった富豪の老人ジョサイア・クローリーの遠縁にあたり、彼の遺産の一部を受け取るはずだった。だが裕福で強欲なトムハム一家が強引にジョサイアを引き取り、死後に公開された遺言状では彼らにすべての遺産を譲（ゆず）ると記されていた。ジョサイアが遺産を残すと口約束していたのは、経済的な不安を抱えた人ばかり。彼らを救うため、ナンシーは隠されている本当の遺言状を捜し出そうと捜査に乗り出すが——。

併読のススメ　秋元書房ジュニア・シリーズの中には、その後他社でほとんど翻訳が刊行されず、埋（う）もれてしまったシリーズも存在する。モード・ハート・ラブレイスの〈ベッツィー〉シリーズ（秋元書房版ではベッシイ）も友の会読者の間では人気が高かったものの、その後は福音館書

第1作刊行年（原著）＝1930年
シリーズ初邦訳＝1956年（大久保康雄訳『楽譜の秘密』、著者名表記はカロリン・キーン）
書影＝創元推理文庫版（既刊8巻）

ガイド 1955年に創刊された秋元書房のジュニアシリーズは、戦後アメリカの少女小説や欧米の映画化作品の原作を展開するシリーズとしてスタートし、翻訳家の村岡花子もこの企画に深く関わっていた。興味深いことに秋元書房には「友の会」と呼ばれる愛読会があり、ファンイベントが開催されていた。また本の巻末に設けられた読者投稿欄には、女子中高生からの感想が多数掲載されている。コバルト文庫が雑誌『Cobalt』や対面イベントでファンコミュニティを形成していたことは知られているが、1950年代にそれを先取りしていた秋元書房は戦後の少女向け読み物の歴史を語るうえで見逃せない。

〈少女探偵ナンシー・ドルー〉は、アメリカの作家エドワード・ストラテマイヤーが創設した〈ストラテマイヤー工房〉から生まれたシリーズで、キャロリン・キーンはこのシリーズ専用のペンネーム。1930年に第一作『古時計の秘密』が刊行されて以来、永遠に年をとらない18歳の美少女探偵のナンシー・ドルーものとして現在も書き続けられている。秋元書房は『楽譜の秘密』『秘密の階段』『不思議な手紙』の三作を翻訳し、日本でいち早くこのシリーズを紹介した。主人公のナンシーは車を乗り回す活発な少女で、知的で勇敢なその姿は当時の少女たちを大いに魅了した。本書でも数多く取り上げている、少女が活躍するミステリー小説のルーツのひとつといえるだろう。

店で『ベッツィーとテイシイ』が翻訳される程度に止まっている作品だ。主人公はディープバレーで暮らすレイ家の次女で、作家を夢見る少女ベッツィー。秋元書房ではベッツィーの高校1年生から高校卒業期までを描いた四作が翻訳されており、中でも少女と大人の端境期に生きる17歳の少女の姿を風通しよく描いた『ベッシイの高校卒業期』は、古きよきアメリカのティーンエイジャー文化を伝えてくれる一冊だ。物語に描かれているのは20世紀初頭だが、女友達との友情やボーイフレンドとの恋模様は今と変わらない。クラシカルな香りを漂わせるベッツィーの日常生活の描写も本作の魅力のひとつとなっている。

no. 16

高谷玲子『静かに自習せよ ―マリコ―』

25歳で夭折した作者が遺した学園青春小説

あらすじ 中学2年生の相川マリコは幼い頃に母を亡くし、仕事で忙しい父とお手伝いのオエミさんとの三人暮らし。マリコは2年C組の副委員長だが、チビで子どもっぽいため皆から「坊や」と呼ばれている。C組には個性的な生徒が多く、苦労人の秀才だが皮肉屋で人を食ったような言動をとるクラス委員長の白石雅也、スピーカーの申し子と呼ばれるほど口喧嘩が強い通称女史の三木律子、不良のボスでクラスの鼻つまみ者だが意外に純情な一面もある花村千太郎、そして少しおてんばで芯のあるマリコらが、日々教室の内外で様々なトラブルを巻き起こしていくのだった。

初刊＝秋元書房
第1巻刊行年＝1962年
シリーズ巻数＝全1巻＋続編1巻
書影＝秋元文庫版

併読のススメ 近年は『九十歳。何がめでたい』などがヒット中の直木賞作家佐藤愛子も、キャリアの初期には秋元書房や集英社のコバルト・ブックスでジュニア小説を手掛けていた。『おさげとニキビ』は高谷作品同様、秋元書房のジュニアシリーズから刊行ののち文庫化された作品

ガイド 初期の秋元書房ジュニアシリーズは翻訳小説を展開するが、1960年以降は徐々に日本人作家による作品が増えていく。集英社の『小説ジュニア』(『Cobalt』の前身)やコバルト・ブックスに先駆けて青春小説を展開した本レーベルの中でも強い印象を残すのが、1962年刊行の高谷玲子『静かに自習せよ』だ。本作は高谷が中学3年生から20歳にかけて執筆したデビュー作であり、ガンを患っていた彼女は続編の『涙で顔を洗おう』の刊行直前に25歳で逝去する。『静かに自習せよ』は『マリコ』のタイトルで1974年にNHK少年ドラマで放映され、同じ時期に秋元文庫ファニーシリーズでも文庫化された。

1960年代に発表されたジュニア小説の中でも、『静かに自習せよ』ほど現在のキャラクター小説に通じる読み口を感じさせる作品はないだろう。主人公のマリコは少しおっちょこちょいで口達者だが、一方では冷静な観察眼を持ち合わせた造形で、後年の氷室冴子〈クララ白書〉のしーのに通じるものを感じる愛すべき少女である。他にも、クセのある委員長やギャップのある不良、口喧嘩に強い女の子などユニークな同級生が多数登場し、それぞれの思惑が交錯する涙あり笑いありの人間ドラマが生まれていく。ウィットの利いた会話文や、クールさとユーモアを兼ね備えた地の文も魅力的で、ポップな持ち味を打ち出した学園青春小説の先駆け的作品といえるだろう。

である。鼻が低いというコンプレックスを抱えた高校2年生の田所朝子を主人公に、大食いのオマルと鼻っ柱の強いコマルという悪友との友情や、少女たちの片思い、医学生の兄の姿を通じて垣間見る少し大人な恋愛の世界が描かれる。朝子は兄の友人から好意を寄せられて写真のモデルを引き受けるも、コンプレックスである鼻をモチーフにされて激怒。また姉が作った詩を失敬して発表したところ、クラス一の文学青年の熊沢から詩人だと勘違いされて好意を示されてしまい、その後も真実を明かせないまま嘘を塗り重ねることになる。ユーモラスなタッチで少女の学生生活や淡い恋愛模様を綴った青春小説だ。

no. 17

佐伯千秋『潮風を待つ少女』

イメージソングも発売されたジュニア小説

潮風を待つ少女
佐伯千秋
コバルト・ブックス

初刊＝集英社コバルト・ブックス
刊行年＝1965年

あらすじ　外房州にある海辺の町に住む浜田新子は、漁師の父を海で亡くし、海女の母と二人暮らしだった。だがとある事情で家を手放すことになり、二人は親戚を頼って上京する。体の弱い母親は必死に家計を支え、夜間高校に進学した新子は書店への就職が決まるなど、当初は厳しかった二人の暮らしも少しずつ安定していった。新子は東京で多くの友だちに恵まれ、その中の一人である安達明という青年と恋仲になる。だが二人の仲に嫉妬した少女をきっかけに明との関係はこじれてしまう。恋や友情に悩む新子は、テレビドラマの主役に抜擢され、女優としての一歩も踏み出すが……。

併読のススメ　佐伯千秋以外の女性のジュニア小説家では、吉田としを取り上げたい。吉田としの代表作のひとつの『あした真奈は』は、小学5年生の真奈を主人公に、初潮を迎えた少女の一年間を描いた物語。初出は『週刊少女フレンド』で、東都書房で書籍化された。作中に

ガイド 本作は小学館の雑誌『女学生の友』に連載されたジュニア小説で、集英社が1965年に創刊した叢書コバルト・ブックスの創刊ラインナップとして書籍化された。戦前から続く少女雑誌の『少女クラブ』や『少女の友』の廃刊が相次ぐ中、1950年創刊の『女学生の友』はその後の少女向け読み物を担う媒体のひとつとなっていく。作者の佐伯千秋は広島出身で、原爆投下の直前に上京して難を逃れたが、家族や親友を多数失った。この体験を原動力に佐伯は少年少女向け小説を手掛け、富島健夫らと共にジュニア小説で名を馳せる。他の代表作として原爆で亡くなった従姉妹をモデルにした「燃えよ黄の花」や、コバルト文庫創刊ラインナップの一冊となった『若い樹たち』という、受験戦争と恋の果てに自死を選んだ少女を描いた作品などがある。『潮風を待つ少女』は、潮風の匂いが漂う海辺の町と華やかな東京の双方を舞台にした物語。新子を筆頭に様々なティーンエイジャーの姿が活写されており、彼女たちが互いに助け合いながら前に進んでいく様を瑞々しく捉えた作品だ。友情や恋愛をテーマにした青春ストーリーをベースに芸能要素も取り入れるなど、エンターテインメント性が高い作風に仕上がっている。なお初代ジャニーズのメンバーだった長田晴夫は、作品に登場するキャラの安達明名義でイメージソング「潮風を待つ少女」を歌いソロデビューしている。

は時代的な限界も見えるが、1963年の段階で生理をテーマに少女の性に迫った作品として注目すべき作品である。またコバルト・ブックスから出ている『この花の影』は、いがらしゆみこによって『敦子のあしたは』のタイトルで漫画化された小説。中学2年生の敦子は手違いから他人の日記を鞄に入れてしまい、好奇心にかられて内容を読むが……。美術部の先輩・加賀涼との淡い恋を中心とした物語で、敦子に秘かに好意を寄せる同級生のゴッホも味のあるキャラクターに仕上がっている。作中に登場するゴヤの絵やエーデルワイスの花など、少女好みのロマンチックな要素がちりばめられた学園小説だ。

no. 18

富島健夫『制服の胸のここには』

ジュニア小説を開拓した記念碑的作品

初刊＝集英社
刊行年＝1966年
書影＝集英社文庫コバルトシリーズ版

あらすじ 高校生の竹中京太と森口芙佐子は、半年前から〝冷戦〟を続けていた。医者の父をもち自由に育った京太と、文武両道で美人な芙佐子は、中学時代に学業上のライバルとして出会い、やがて思い合うようになる。関心が勉強だけに止まらない京太は学校をサボるようになり、成績も下がっていくが、芙佐子との清い交際は変わらなかった。だが京太が不良少女・若宮由紀子のボディガードを頼まれ、なりゆきで彼女とキスをしたことが原因で、芙佐子と仲違いをしてしまう。二人は意地を張り合うが、様々な誘惑を乗り越えて、互いへの変わらぬ思いを確かめ合うのだった――。

併読のススメ 富島の作品で最もその名を知られているのは、映画化やテレビドラマ化された『おさな妻』だろう。だがこの作品は毀誉褒貶が激しく、誤解の多い、あるいは読まれないまま批判された不幸な作品でもある。本作は1969年に小学館が発行する雑誌『ジュニア文芸』

ガイド

『制服の胸のここには』は、1966年創刊の雑誌『小説ジュニア』の創刊号巻頭を飾った小説。本作はコバルト・ブックスから刊行され、1976年5月創刊のコバルト文庫立ち上げラインナップの一冊にも選ばれた。10代の青年男女の複雑な心の内や人間模様、そして性への目覚めを瑞々（みずみず）しく描いた物語の登場により、ジュニア小説というジャンルがブームを巻き起こすことになる。60年代の時代観を投影したストーリーにはやや古臭さを感じるものの、小児科の権威でありながら息子を抑圧することなく自由に育てる父親と、彼を尊敬しつつもフラットな関係を築く京太との友達のような父子関係は今読んでも新鮮だ。

純文学からキャリアをスタートした富島は、『喪家（そうか）の狗（いぬ）』で芥川賞の候補になり、のちにジュニア小説、そして官能小説へと仕事を広げていくジュニア小説の第一人者である。富島は、従来の少女小説はデコレーション・ケーキで、人間ではなく人形が書かれていたと批判している。富島はロマンチックで現実感のない少女小説とは異なる、性欲まで含めた青年男女のリアルな姿を描く青春文学としてのジュニア小説の確立を目指し、そのために旺盛（おうせい）なジュニア小説論も展開した。なお富島の仕事の全容は荒川（あらかわ）佳洋（よしひろ）による評伝『「ジュニア」と「官能」の巨匠 富島健夫伝』（河出書房新社）に詳しい。

に発表され、翌年集英社で書籍化された。母を亡くして天涯孤独の身になった高校生の玲子（れいこ）は、叔母（おば）の家に引き取られるが、叔母の夫からの性的虐（ぎゃくたい）待に耐えかねて独立を決意する。玲子は保育園でアルバイトを始め、そこで園児まゆみの父・吉川（よしかわ）と出会う。妻を亡くした子持ちの吉川に惹（ひ）かれた玲子は結婚へと進み、高校生、妻、母の三役をこなしていくのだった。初夜の場面こそ登場するものの、性描写は本作の主題ではなく、作中のページ数も決して多くはない。だが本作は過剰なバッシングを受け、これを契機にジュニア小説の性描写の過激化が社会問題となり、新聞や雑誌などで激しい議論が交わされた。

no. 19

ローラ・インガルス・ワイルダー〈大草原の小さな家〉

西部開拓期アメリカを舞台にした一家の物語

大きな森の小さな家

刊行年（原著第1作）＝1932年
第1作初邦訳＝1972年（恩地三保子訳）
シリーズ巻数＝全9作＋番外編1作
書影＝講談社文庫版

あらすじ 時は1870年代のアメリカのウィスコンシン州。大きな森の中に建てられた小さな家に5歳のローラ・インガルスは、両親と姉のメアリーの四人で暮らしていた。厳しくも豊かな自然の中で一家は自給自足の日々をおくり、獲物を狩っては肉に加工し、バターやチーズなどを作りながら生活を築きあげている。だが西部開拓を夢見る父は新天地を求め、一家は小さな家の家財すべてを幌馬車に積み込み西へと旅立った。目指すは西部の大草原。開拓の夢を追い続ける父と定住を望む母のもとで、ローラは様々な出来事に直面しながら少しずつ少女から大人になっていく——。

併読のススメ キャロル・ライリー・ブリンクはワイルダーと同時代の作家。開拓時代を描いた『風の子キャディ』が〈大草原の小さな家〉と時代的には重なるが、ここではアメリカが大恐慌に苦しむ1930年代を舞台にした『ミンティたちの森のかくれ家』（文溪堂）を紹介したい。

ガイド　〈大草原の小さな家〉シリーズの第1巻『大きな森の小さな家』は、ワイルダーが1932年に65歳で発表した作品。作者自身の体験をベースに西部開拓時代の生活を少女の視点から描いた半自伝的小説は人気を博し、全9巻のシリーズとして書き続けられていった。日本での最初の翻訳は、戦後まもない1949年に石田アヤ訳でコスモポリタン社から出版されたシリーズ第6巻の『長い冬』。アメリカで制作されたテレビドラマが1975年から日本でも放映され、作品の知名度と人気が一躍高まった。本作はアメリカの国民的物語となるものの、近年は先住民族や有色人種への人種差別に批判が向けられており、2018年には彼女の名前を冠した文学賞「ローラ・インガルス・ワイルダー賞」を「児童文学遺産賞」に変更する動きもあった。

シリーズの少女小説的な読みどころといえば、作中に登場する暮らしまわりの描写。小屋や家具から日々の食料まで、インガルス一家は自分たちの手で生活に必要なものを作り上げており、細やかかつ、いきいきとした筆致によってローラの生活が目の前に浮かんでくるようだ。また『大草原の小さな町』では厳しい冬にそなえてインガルス一家は町に住まいを移しローラの学校生活が始まるため、少女小説的な読み口が増す。パーティーや農夫アルマンゾとの恋など、ローラのティーンエイジャーらしい日々を楽しめる巻である。

ミンティとエッグズ姉妹の父親は、詩を愛する楽観的で世渡り下手な男だった。仕事をなくして困窮した一家は亡き母の身内を頼って伯母の家に向かうが、車が途中で立ち往生し、森の中にたたずむ無人の家を見つけてこっそりと隠れ住む。生活力は皆無だがパンケーキを焼く腕だけは一流の父親や、父とは違って現実的かつ真面目なミンティを中心に、自然に囲まれた日々の楽しさや、誰かに見つかることへの不安と隣合わせの生活が描かれる。罪悪感や賃料の工面に悩むミンティの姿がいじらしく、古きよきアメリカの暮らしも堪能できる。詩情とユーモアに溢れた筆致でミンティ一家の姿を描く、魅力的な物語だ。

no.20

佐々木丸美『崖の館』

少女一人称で綴られるリリカル館ミステリー

初刊＝講談社
刊行年＝1977年
書影＝創元推理文庫版

あらすじ 北の大地の断崖にそびえたつ硝子の館では、書物や美術品のコレクションに囲まれて財産家のおばと養女の千波が暮らしていた。涼子と五人のいとこたちは長期休暇ごとに館を訪れては滞在していたが、ある年、文学や芸術などあまたの分野に精通し、天性の美貌にも恵まれた千波が崖から謎の転落死を遂げる。その死から二年後、冬休みにあわせて涼子たちが館に集結すると、到着した当日に絵画が消失。以後も奇妙な事件が続発する。この館には、昔から血なまぐさい殺意が潜んでいたという。その悪意が再び顔を出し、雪に閉ざされた館でさらなる惨劇が繰り広げられていく——。

併読のススメ 少女小説的な魅力を感じるミステリーとして、理論社ミステリーYA！シリーズというティーン向けレーベルから刊行された、皆川博子の『倒立する塔の殺人』（PHP文芸文庫で文庫化）を紹介したい。物語の舞台は第二次世界大戦末期から終戦直後の女学校。とあるミッ

ガイド 1975年に『雪の断章』でデビューし、1984年までの九年間で計18作品を発表した伝説の作家・佐々木丸美。リリカルで独特な少女一人称の文体や、すべての小説に何かしらのリンクがみられる壮大な作品世界、ミステリーや恋愛、心理学に超常現象などの要素を絡めた唯一無二の作風は熱狂的なファンを生み出した。1985年以降は新作が出ることはなく、著書も長らく入手困難な状態が続いたが、作者の死をきっかけに2006年以降は全作品の復刊が進む。

『崖の館』は『水に描かれた館』、『夢館』とあわせて館三部作と呼ばれる、佐々木丸美の代表作のひとつ。悲しい伝説が残る百人浜の崖にそびえる硝子の洋館という魅力的な場所を舞台に、家族同然に育ったいとこたちの心の中に潜む愛情や憎しみ、そして恐るべき犯罪心理が詩のような美しい文章で綴られる。芸術や文学に関するペダンチックな会話も本作の魅力のひとつで、千波が敬愛するパステルナークをはじめ、様々な文学者や芸術家の名前が作中に顔を出す。語り手は一番年下の高校生・涼子で、物語は彼女視点の一人称で進む。佐々木丸美は本書で取り上げている少女小説の系譜に直接的に属する書き手ではないものの、少女の一人称で綴られた叙情的で繊細な文体や、ロマンチックかつドラマチックなストーリーなどには相通じるものを感じさせる。少女小説的な魅力をたたえた館ミステリーだ。

ションスクールが空爆に遭い、焼け落ちたチャペルからは上月葎子と身元不明の黒焦げ死体が発見された。クラスの異分子で「イブ」と呼ばれている阿部欣子は、上月の死に納得できない三輪小枝から、読んでほしいと美しいノートを渡される。その中では『倒立する塔の殺人』という物語が、複数の少女たちの手によって書き継がれていた——。ノートの中で少女たちが綴るストーリーと、現実の事件が複雑に絡み合うストーリーが絶品で、戦時下という極限状態の中で皆川博子らしい耽美な幻想譚が紡がれていく。少女たちの愛憎や友情も読みどころのひとつで、女学校を舞台にした百合小説としてもお薦めだ。

Column

日本の少女小説史 1

草創期〜1970年代

この本では、少女小説を「少女を主たる読者層と想定して執筆された小説」と定義する。5つのコラムを通じてその誕生期から現在の最新状況まで、少女小説の各時期の動向を紹介していきたい。

本邦初の少女小説は、1895年に博文館が発行する雑誌『少年世界』の「少女」欄に掲載された、若松賤子（わかまつしずこ）の「着物のなる木」だとされている。若松賤子はバーネットの『小公子』の翻訳などでも知られており、近代日本の児童文化に重要な足跡を残した人物だった。

明治30年代に入ると、高等女学校令の公布をきっかけとした少女雑誌の創刊が相次ぐ。少女小説は少女雑誌の主要なコンテンツの一つとして発展を遂げていくが、この頃の作品は当時の女子教育理念である良妻賢母主義に基づき、献身や教訓を説く物語が主流だった。

だが1916年、『少女画報』に投稿された吉屋信子の『花物語』によって、少女小説の新しい扉が開かれる。吉屋の小説は女学校文化の一つである「エス（シスターの略）」と呼ばれる女学生同士の友愛を、抒情的かつセンチメンタルな美文で謳い上げるものだった。西洋文化への憧憬を滲ませた耽美な筆致で、少女たちの出会いとはかない別れを悲劇的に綴る物語は、当時の教訓的な少女小説とは一線を画す作風であり、読者の支持を受けて連作集として書き続けられていく。時には同性愛にまで踏み込むラディカルなセクシャリティの表現や、模範的な少女像に対する抵抗など、『花物語』には先駆的な要素も織り込まれていた。本作は100年以上に及ぶ少女小説の歴史の中でも最重要作の一つであり、吉屋は戦前の少女小説の最大のスターとして、以後も様々な雑誌で活躍を続けていくのであった。

近代日本の少女小説は、昭和期に大きく花開く。市場をリードしたのは、大日本雄弁会講談社（当時）の雑誌『少女倶楽部』だった。小学校高学年から女学校低学年というやや年齢層の低い読者をターゲットにした同誌では、横山美智子の『嵐の小夜曲』（ただし本作の初出は『少女の友』）や吉屋信子の『あの道この道』、菊池寛の『心の王冠』などに代表される、主人公が幾多の苦難を乗り越えながら大団円を迎える波乱万丈な物語が好まれた。

また魅力的な男性キャラが活躍する講談小説や時代小説もコンスタントに掲載されており、他にも水守亀之助の『涙の握手』のような少年主人公小説、あるいは加藤まさをの『消えゆく虹』のように主要キャラクターとして男性が登場する物語が多かった点も『少女倶楽部』系作品の特徴として指摘できるだろう。

一方、発行部数では後れをとる実業之日本社の『少女の友』は、独自のカラーを打ち出すことで『少女倶楽部』との差別化を図った。都市部に住む高等女学生という知的な少女を読者層に定めた『少女の友』は、中原淳一のイラストに象徴されるような洗練された少女文化を打ち出し、熱狂的なファンを生み出した。中でも1937年からスタートした川端康成の『乙女の港』(現在では中里恒子の作品だとされている)は、横浜にあるミッション系の女学校を舞台に、二人のお姉さまの間で揺れ動く少女の姿を描いた物語で、『少女の友』の黄金期を象徴する人気作となった。吉屋信子も『少女の友』で活躍をみせ、意志的な主人公が鮮烈な『紅雀』や、タイプの異なる三人の少女の友愛をベースに都会的な風俗を織り込んだお洒落な『わすれなぐさ』、ルッキズムをテーマに少女の鬱屈や承認欲求などの複雑な心理に切り込んだ『からたちの花』など、繊細な心理描写に優れた作品を手掛けている。

１９４５年、日本は敗戦を迎えた。終戦後は戦前期の代表的な少女小説の再刊や、単行本書き下ろし形式での新作刊行が相次ぎ、復興期から１９５０年代にかけて空前の少女小説ブームが巻き起こる。中でも偕成社やポプラ社では多数の少女小説が出版され、ポプラ社の少女小説名作選のような大ボリュームを誇るシリーズも生まれた。少女小説市場の拡張は作家たちに仕事をもたらし、円地文子や三谷晴美（瀬戸内寂聴）らもこの時期には文学を志しながら、文芸の本流とみなされてはいなかった少女小説で生計を立てていく。

終戦後の少女小説では、別れた母を探す母子ものという、当時の世相を反映したジャンルが人気を集めていた。だがその後は徐々に変化が起こり、戦後の民主主義と男女共学を反映した男女の異性愛小説が増加する。十代の読者をターゲットに、男女の恋愛や友情、家族関係などを描きつつ、青春をいかに生きて自己形成を行うかを追求した小説群はのちにジュニア小説という名称で呼ばれるようになり、１９５０年代から70年代にかけて隆盛を見せた。

戦前に人気を博した少女雑誌は徐々に姿を消し、『少女の友』は１９５５年、『少女倶楽部』（当時の名前は『少女クラブ』）は１９６２年に廃刊となった。戦後に生まれた雑誌では、

１９５０年に小学館が創刊した『女学生の友』が少女向け読み物で存在感を発揮し、佐伯千秋（さえきちあき）の『潮風を待つ少女』のようなヒット作も生まれている。なお当時の小学館は単行本を発行する部署がなかったため、『女学生の友』に掲載された作品はのちに集英社が創刊したコバルト・ブックスで書籍化されていった。

戦後の少女小説の歴史を語るうえで、秋元書房の存在は外せない。中でも秋元書房が１９５５年に創刊したジュニアシリーズは、戦後アメリカの少女小説などを展開するシリーズとしてスタートし、のちに日本人作家によるジュニア小説路線へとシフトする。１９７３年には秋元文庫を創設するなど、少女小説系ではいち早く文庫で作品を展開した版元でもあった。秋元書房は雑誌こそ発行していなかったものの、「友の会」と呼ばれる愛読会があり、本の巻末には愛読者からの感想が掲載され、読者イベントなども開催されるなど、独自のファンコミュニティが形成されていた点ものちの少女小説文化の特徴を先取りしていた。

ジュニア小説というジャンルを決定づけたのが、集英社が１９６５年に創刊したコバルト・ブックスと、翌66年からスタートした雑誌『小説ジュニア』である。富島健夫（とみしまたけお）の『制服の胸のここには』が創刊号の巻頭を飾り、以後富島はジュニア小説のトップランナーとして精力的な執筆を続けていく。集英社の成功を受けて小学館も『女学生の友』から派生した『ジュニア文芸』を創刊し、他の出版社も追従して次々とジュニア小説誌が生まれるなど、1960年代後半にかけてジュニア小説ブームが巻き起こった。他の代表的なジュニア小説家としては、佐伯千秋や吉田とし、三木澄子や津村節子、川上宗薫などが挙げられる。

やがてジュニア小説に性描写が増えていき、高校生の少女が人妻になるという富島健夫の『おさな妻』をきっかけに、ジュニア小説に対する激しいバッシングが巻き起こった。富島は元々ジュニア小説とは過去の少女小説とは無縁であるというスタンスを取り、十代を描いた青春文学の確立を目指していた。生きた人間の姿を書くことを追求した富島は、性欲などの性にまつわる悩みを避けてはリアルな若者の姿は描写できないという姿勢のもとで、作品に性描写を取り入れていく。だが『おさな妻』は毀誉褒貶に晒され、ジュニア小説における性描写は社会問題となり、1970年頃からジュニア小説誌の廃刊が相次いだ。

他方、1970年代に入ると萩尾望都や竹宮惠子、山岸凉子らの若手漫画家たちが少女漫画に革命を起こす。少女漫画の人気も、ジュニア小説の衰退を促した要因の一つといえるだろう。ジュニア小説は低迷期を迎え、唯一残った『小説ジュニア』は新しい方向性を求めて模索を続けていくのだった。

Section 2

1970年代末～1980年代

no.21

若桜木虔（監修＝西崎義展）『さらば宇宙戦艦ヤマト　愛の戦士たち』

少女小説レーベルノベライズの先駆け

初刊＝集英社文庫コバルトシリーズ
刊行年＝1978年

あらすじ　宇宙戦艦ヤマトはガミラス星との戦いに勝利し、平和を取り戻した地球は復興が進みつつあった。古代進はヤマトから離れて輸送船の護衛任務につき、共に戦った恋人の森雪との結婚を数日後に控えている。だが幸せのさなか、古代は謎の悪夢に悩まされていた。やがてその夢が、地球に助けを求める未知の星からのテレパシー通信であると判明する。謎の白色彗星が出現し、再び地球に危機が迫りつつあるが、平和に慣れきった防衛会議は動こうとしない。宇宙の平和のために古代ら旧ヤマト乗組員たちは決起し、廃艦が決定されたヤマトを無断で出撃させる——。

併読のススメ　ストーリーをある程度忠実にノベライズした作品が多い中、辻真先が手掛けた鳥山明原作の『Dr.スランプ』小説は、徹底したメタ&パロディ路線で異彩を放つノベライズの奇作である。第一弾となった『小説!? Dr.スランプ』では、鳥山明と辻真先、鳥山の担当編集者の

ガイド 本作は、1978年に公開されたアニメーション映画『さらば宇宙戦艦ヤマト 愛の戦士たち』のノベライズ。テレビアニメ『宇宙戦艦ヤマト』の続編映画として制作された『さらば宇宙戦艦ヤマト』は大ヒットし、社会現象を巻き起こした。映画の人気を受け、ノベライズも版を重ねていく。著者の若桜木虔は1977年に『小説 沖田総司』（秋元文庫）でデビューし、コバルト文庫からオリジナル作品を刊行後、『さらば宇宙戦艦ヤマト』のノベライズを執筆。翌月には『宇宙戦艦ヤマト』、翌年には『宇宙戦艦ヤマト 新たなる旅立ち』も刊行するなど、ノベライズでも活躍した。

少女小説史の中で言及される機会は少ないが、ノベライズは長い歴史を持つジャンルである。『さらば宇宙戦艦ヤマト』を皮切りに、70年代から現在に至るまで、各レーベルは様々な作品を出し続けてきた。中でも少女漫画のノベライズは定番ジャンルとして知られ、90年代に入りファンタジー小説が隆盛をみせる状況の中、低年齢層を取り込むジャンルとして広がりをみせた。近年はゲームのノベライズが増加し、またコミックスを原作とした実写映画のノベライズも増えつつある。ノベライズの系譜は集英社のライト文芸レーベルとして創刊されたオレンジ文庫にも引き継がれ、実写映画『るろうに剣心』や『とんかつDJアゲ太郎』のノベライズも刊行された。

鳥嶋和彦と主人公の則巻アラレを交えた座談会からスタートするなど、冒頭から楽屋落ちが炸裂。『Dr.スランプ』のギャグを踏まえながら展開されるメタ要素満載の小説は、さすが辻真先と唸らされる出来栄えだ。第二弾の『小説!? Dr.スランプの逆襲』では、文豪たちの文体で「ドンベが出たぞ～いの巻」のパスティーシュに挑戦。川端康成、野坂昭如、芥川龍之介、横溝正史、宮沢賢治、辻真先、井上ひさし、筒井康隆、赤川次郎の文体で書き分けるという、高度な試みも行われた。なお『Dr.スランプ 映画編』のノベライズは雪室俊一が担当し、こちらはオーソドックスな内容に仕上がっている。

no.22

編＝風見潤

『たんぽぽ娘 海外ロマンチックSF傑作選2』

ビブリア古書堂にも登場する名アンソロジー

初刊＝集英社文庫コバルトシリーズ
刊行年＝1980年

あらすじ 44歳のマークは、家族と離れて山小屋で一人休暇を過ごしていた。ある日彼は丘の上で、２４０年先の未来から来たと称する不思議な少女ジュリーと出会う。「おとといは兎を見たわ。きのうは鹿、今日はあなた」と語るジュリーは、父が発明したタイムマシンでこの時代を訪れているという。マークは妻のアンに対する罪悪感を抱きつつも、たんぽぽ色の髪をした少女に心を奪われていくのだった。ジュリーの父が亡くなり、消耗したタイムマシンを直せなくなった少女はマークのもとを訪れることができなくなった。だがこの淡い恋は思いがけない結末を迎える。

併読のススメ 数々のヒット作がひしめくコバルト文庫で累計発行部数一位を誇るのが、赤川次郎の〈吸血鬼はお年ごろ〉。本作のスタートは１９８１年で、ジュニア小説からエンターテイメント路線へと移り変わる時代の中で生まれた驚異のロングセラーだ。シリーズはコバルト文

ガイド 本書はのちにティーンズハートで〈幽霊事件〉シリーズを手掛ける風見潤によるSFアンソロジーの第二弾。『魔女も恋をする』『たんぽぽ娘』『見えない友だち34人+1』全3巻の中でもとりわけ人気が高いのが『たんぽぽ娘』で、近年では三上延の〈ビブリア古書堂の事件手帖〉で取り上げられて話題を呼んだ。『たんぽぽ娘』が刊行された1980年は、コバルト文庫が従来のジュニア小説路線から転換をはかり、新しい方向性を模索すべく多種多様な作品を刊行した過渡期にあたる。この時期はSF小説やアンソロジーの刊行も盛んで、中でも『たんぽぽ娘』は名アンソロジーとして名高い。風見潤によるあとがきも秀逸で、若い女性読者に向けて執筆されたSF入門ガイドは一読に値する。表題作のロバート・F・ヤングの「たんぽぽ娘」があまりにも有名だが、他にもケイト・ウィルヘルムの「翼のジェニー」やウィリアム・M・リーの「チャリティからのメッセージ」、ゼナ・ヘンダースンの「なんでも箱」やレイ・ブラッドベリの「詩」など、粒ぞろいの作品が収録された一冊だ。

ネタバレを避けるために「たんぽぽ娘」の内容にはあえて言及しないが、瑞々しい読後感と作中に流れる詩情が美しい余韻を残す時間SF小説の傑作である。なお作中に登場するジュリーの名台詞は、恋愛アドベンチャーゲーム『CLANNAD』の一ノ瀬ことみルートでも引用されている。

庫の他に集英社文庫でも展開中で、2015年以降の新刊はオレンジ文庫に移籍した。主人公の高校生・神代エリカは、トランシルヴァニア出身の吸血鬼の父親フォン・クロロックと、今は亡き日本人の母との間に生まれたハーフ。正義感が強いエリカが事件を追い、特殊能力を持つ父の力も借りながら解決するというミステリーコメディである。個性的なキャラの中でもフォン・クロロックがとびきりキュートで、由緒正しい吸血鬼らしからぬゆるさが笑いを誘う。そんなクロロックがエリカの後輩涼子を後妻に迎え、新しい家族を作り上げていく様も見どころだ。赤川次郎らしい間口の広さが光るシリーズである。

no.23

氷室冴子〈クララ白書〉

少女小説に革命を起こした傑作青春コメディ

初刊＝集英社文庫コバルトシリーズ
第1巻刊行年＝1980年
シリーズ巻数＝全2巻＋続編2巻
書影＝コバルト文庫新装版

あらすじ しーのこと桂木しのぶは、徳心学園中等科に通う3年生。父の転勤で家族は宮崎へ引っ越すが、学園から離れたくない彼女は一人札幌に残り、学校付属のクララ舎に入舎する。寄宿舎の新参者であるしーのと、転入組の紺野蒔子と佐倉菊花の三人に、一風変わった入団式が待ち構えていた。そのお題とは、食料庫破りをして夜の調理室に忍び込み、45人分のドーナツを揚げるというもの。お人好しのしーのと、とある目的のため寄宿舎暮らしを選んだ菊花、美人だが〝鉈ふりのマッキー〟の異名を持つ蒔子。三人は友情を育みながら準備を進め、ある夜ついに計画を決行する——。

併読のススメ コバルト文庫の看板作家として活躍し、2008年に51歳の若さで亡くなった氷室冴子。氷室は数多くの名作を残しているが、一作を挙げるとすれば代表作の『なんて素敵にジャパネスク』だろう。お転婆な瑠璃姫を中心に、魅力的なキャラクターがたくさん登場する

ガイド 個性豊かな生徒が集う女子校・徳心学園を舞台に、賑やかで楽しい少女たちの等身大の青春の日々を描き、コバルト文庫に新風を吹き込んだ〈クララ白書〉。本作は、1977年に「さようならアルルカン」で『小説ジュニア』の青春小説新人賞で佳作に入選しデビューした氷室冴子の出世作であり、その後の少女小説の方向性を決定づけた意味でも、非常に重要な一冊である。氷室が本作で試みたのは、少女漫画にも対抗できる面白さを持つ、女の子向けのエンターテインメント小説だった。そのための仕掛けとして取り入れた、少女の口語をベースにした一人称文体やコメディ路線の作風は、以後の少女小説では定番フォーマットとして踏襲(とうしゅう)されていく。

本作の登場と以後の氷室の活躍により、ジュニア小説の時代は終わりを告げ、少女小説という言葉が注目を集めていった。その直接のきっかけは、1983年に刊行された『少女小説家は死なない！』であるが、〈クララ白書〉の中でもしーのが吉屋信子(よしやのぶこ)の愛読者と設定されるなど、往年の少女小説へのオマージュが織り込まれている。

本作はまた、シリーズものという意味でも先駆的な作品だった。第1巻の好評を受けて『ぱーとII』と続き、その後は高校科に進学した『アグネス白書』も出るなど、全4巻のシリーズとなった。なお〈クララ白書〉には3バージョンあり、電子書籍化されている新版は時代にあわせて大幅なリライトが行われている。新旧の違いを読み比べてみるのも興味深い作品だ。

本格平安コメディは、山内直実(やまうちなおみ)によるコミカライズとあわせ、多くの少女たちに平安文学の扉を開いてくれた。他にも、同じ出来事を男の子視点と女の子視点から描き、そのズレを浮かび上がらせる『なぎさボーイ』『多恵子ガール』は、青山剛昌(あおやまごうしょう)が『名探偵コナン』で「蘭GIRL」「新一BOY」というオマージュを手掛けたように、ラブコメの名作として男性からの人気も高い。未完に終わった愛と憎しみの古代ファンタジー〈銀の海 金の大地〉は、コメディ期とは異なる苛烈(かれつ)な作風が衝撃的な、90年代における代表作。今もなお熱烈な支持者が多い作品で、電子書籍化が待ち望まれている。

no.24

新井素子〈星へ行く船〉

少女小説の文体の偉大なる革命者

あらすじ 人口増加の対策として、地球政府が他惑星への移民を奨励するようになった未来。19歳の森村あゆみは、とある事情で家出を決行する。あゆみは兄のパスポートを持ち出して男装のうえ彼になりすまし、惑星シイナ行きの小型宇宙艇に乗り込んだ。だが地球を捨てる覚悟で決行した旅行は、アクシデントの連続。予約したはずの個室が手違いでダブルブッキングされ、山崎太一郎という怪しげな男と同室で過ごす羽目になってしまう。おまけに太一郎は、大沢善行という男を密航させていた。善行を狙った襲撃者が来襲し、あゆみも厄介な事件に巻き込まれていく……。

併読のススメ 新井素子の他作品では、原点の『あたしの中の……』をお薦めしたい。表題作は、バスの転落事故に巻き込まれ、病室で目を覚ました田崎京子の物語。「あたし」は記憶をなくしているが、この一週間で二十九回も事故に遭い、いずれも無傷のまま奇跡的に助かってい

初刊＝集英社文庫コバルトシリーズ
第1巻刊行年＝1981年
シリーズ巻数＝全5巻+番外編4巻
書影＝出版芸術社版

ガイド 1977年、第1回奇想天外SF新人賞に『あたしの中の……』が佳作入選し、作家デビューをした新井素子。女の子のおしゃべりをそのまま文章にしたかのような新井の新しい口語文体は多方面に衝撃を与え、「あたし」という一人称など、そのスタイルは少女小説にも大きな影響を及ぼしていった。

コバルト文庫時代の代表作である〈星へ行く船〉は、雑誌『高1コース』に連載ののち、書き下ろしを加えて書籍化された作品。家出を経て火星で暮らし始めたあゆみと、就職先である水沢総合事務所のメンバーを中心に、様々な事件や人間ドラマが展開されていく。魅力的なキャラクターが活躍するこのSF小説は、多くの読者を魅了し、男性ファンが多いことでも知られているシリーズだ。連載時に挿絵を担当した竹宮惠子がカバーを手掛けており、漫画家によるイラストが表紙を飾った先駆け的な作品でもある（ただし本文の挿絵は長尾治）。2016年には書き下ろし短編も追加した〈新装・完全版 星へ行く船〉が出版芸術社から発売された。第2巻の『通りすがりのレイディ』が少女小説的にお薦めの巻で、あゆみは太一郎の元妻であるレイディこと木谷真樹子に複雑な思いを抱きつつも、魅力的な彼女に惹かれていく。「あたしレイディを守ってあげたい。この手の中で、誰よりもしあわせにしてあげたい」と言い切るあゆみと、格好いいレイディの関係性に胸が熱くなる巻だ。

るという。警察にも疑われている「あたし」は、一体誰なんだろう――。あたしという一人称が印象的な物語は、内容や文体を含めて今読んでも新鮮で、発表時の衝撃がうかがえる。コバルト文庫の元編集長の田村弥生は、『ライトノベル完全読本 Vol.2』収録のインタビューの中で、「最も後の作家の文体へ影響を与えたのは新井素子さんです」と証言する。他にも「ずれ」「大きな壁の中と外」「チューリップさん物語」を収録した、若き新井の才気が溢れる短編集だ。本作は奇想天外社で刊行後、1981年に集英社文庫コバルトシリーズで文庫化、2005年には四位広猫のイラストでコバルト文庫版の新装版も刊行された。

イーニッド・ブライトン〈おちゃめなふたご〉

アニメ化もされた海外寄宿舎ものの金字塔

あらすじ サリバン家のパットとイザベルはそっくりな顔をした一卵性双生児。二人は贅沢（ぜいたく）な暮らしをさせるお嬢さま学校のレッドルーフス学園で甘やかされて育ったため、両親は卒業後、教育方針が異なるクレア学院に進学させた。パットとイザベルはクレア学院の厳しい校風になじもうとせず、教師や上級生に反発を続け、クラスメイトたちともトラブルを巻き起こす。けれども学校で起きる様々な出来事を経て、わがままだった双子は少しずつ変わっていった。次第に学院の良さに気づいた二人は、個性豊かな生徒たちと友情を結び、時にはぶつかり合いながら成長を遂げていく。

併読のススメ ブライトンが手掛けた寄宿舎ものの原点である〈おてんばエリザベス〉（ポプラ社）は、男女共学で全寮制のホワイテリーフ学園を舞台にした物語。一人っ子で大事に育てられたわがままなエリザベスは、退学になりたくて悪い生徒として振る舞うが、様々な出来事を通

刊行年（原著第1作）＝1941年
初邦訳＝1982年〜（佐伯紀美子訳、著者名表記はエニド・ブライトン）
シリーズ巻数＝全6作
書影＝ポプラキミノベル版

ガイド
〈おちゃめなふたご〉は、イギリスの小説家イーニッド・ブライトンが1941年から1945年にかけて発表した全6巻のシリーズ。1982年にポプラ社から初邦訳され、1991年には『おちゃめなふたご クレア学院物語』というタイトルでテレビアニメも放映された。〈おちゃめなふたご〉の知名度は『小公女』や『赤毛のアン』などの作品と比べると劣るが、寄宿学校を舞台にした学園ものとしては個人的に一押しのシリーズだ。女子寄宿舎ものの金字塔と呼べる作品で、少女たちの学校生活にまつわるディテールの数々にはときめきが詰まっている。たとえば美味しそうな食べ物を持ち寄ってこっそりと開く、真夜中のパーティのシーン。他にも寮を抜け出してサーカスを見に行く場面や、ラクロスなどのスポーツに関する描写など、教室の外で繰り広げられるエピソードも楽しい。

物語に登場する少女たちは型にはまった優等生ではなく、それぞれ欠点や問題を抱えている。当初は鼻持ちならない姉妹だった双子を筆頭に、クレア学院に通う多彩なキャラクターに光を当てながらその姿をいきいきと活写しつつ、心の成長を見せていくのである。2022年にはポプラキミノベルで、田中亜希子による新訳・新装版の刊行がスタートした。現代風に装いを新たにしたシリーズの今後を楽しみに見守りたい。

じて学園になじんでいく。男女共学の全寮制学園の描写が新鮮で、作中で描かれる「児童会」という子どもが主体となって校内の議題を解決するシステムも印象深い。なお〈おちゃめなふたご〉が好きな人には、全寮制女子校のマロリータワーズ学園を描いた〈マロリータワーズ学園〉シリーズ（ポプラ社）がお薦め。短気な性格で癇癪持ちの主人公ダレルを筆頭に、様々な短所を抱えた少女たちにスポットを当てながら、ダレルの入学から卒業までを全6巻で展開するシリーズだ。東塔、西塔、南塔、北塔に分かれた寮の描写も魅力的で、曲者揃いの少女たちがだんだんと器の大きな人間に成長していく様も楽しい作品である。

no.26

久美沙織〈丘の家のミッキー〉

「都落ち」したお嬢さまの葉山での新しい日々

初刊＝集英社文庫コバルトシリーズ
第1巻刊行年＝1984年
シリーズ巻数＝全10巻
書影＝クリーク・アンド・リバー社電子版

あらすじ 浅葉未来は幼稚園から東京の名門女子校・華雅学園に通う、生粋のお嬢さま。洗礼名のミシェールという愛称で呼ばれる少女は、選ばれしセレブな学生だけが入会できる親睦団体ソロリティーに所属していることを誇りに思い、上級生の麗美を慕っていた。ところが太陽族に憧れる父親が葉山に家を購入し、勝手に引っ越しを決めたため、転校を余儀なくされた。転入先の森戸南女学館は〝蛮族の巣窟〟で、未来は華雅学園とのあまりの違いに戸惑う。ボーイッシュな麗や彼女の兄の朱海らと知り合い友情を育む中で、未来はこれまでの価値観を揺さぶられていくのだった。

併読のススメ 少女小説史的に見ると、久美沙織の『薔薇の冠 銀の庭』は、漫画家のかがみあきらがカバーと挿絵を担当した画期的な作品だった（なお新井素子『星へ行く船』の竹宮惠子はカバーのみの担当で挿絵は長尾治）。『コバルト風雲録』で語られているように、久美はかがみのイラストと小説

ガイド 浮世離れした華雅学園で育った「三番町のミシェール」が、新しい環境や友人たちを通じて「丘の家のミッキー」になる。そんな未来の内面の変革を瑞々しく描いた〈丘の家のミッキー〉は、久美沙織の代表作であり、コバルト文庫の女子校・青春ものとして愛されてきた名作だ。生粋のお嬢さま学校出身の未来は、転校当初は生理用品を投げて遊ぶような森戸南の野蛮な校風に反発するが、様々な出来事を通じてそれまでの価値観を覆され、より広い視野を獲得していく。シリーズの白眉といえる第6巻では、未来が下す大きな決断が描かれており、少女の伸びやかな成長が愛おしくなるだろう。未来と朱海とのロマンスも読みどころだが、二人の初めてのキスが未来からだったため、キスは男の子が主導するものと認識していた読者たちの不評を買い、罵倒の嵐だったことを後年久美は明かしている。このエピソードは久美沙織の『コバルト風雲録』や、新装版〈丘の家のミッキー〉第6巻の解説に詳しい。

久美沙織は1979年に山吉あい名義の『小説ジュニア』掲載作「水曜日の夢はとても綺麗な悪夢だった」でデビューし、80年代を代表するコバルト文庫の人気作家となった。コバルトから離れた後は『MOTHER』や『ドラゴンクエスト』等のゲームノベライズ、『新人賞の獲り方おしえます』などの小説ハウツー本も手掛けるなど、幅広い仕事ぶりをみせている。

の内容がマッチすることを確信し、編集長の漫画に対する偏見を押しきって彼に依頼する。その後の少女小説や少年向けラノベでは漫画家にカバーを依頼する流れが生まれていくが、その先駆けが久美だったことを今一度確認しておきたい。主人公の僕と玲子、そして野枝実の三角関係を描く大人びた恋愛小説は、かがみの柔らかなイラストと相まって独特の余韻を残す。なお他の久美作品では、女の子の生理のリアルに切り込みながら少女たちの恋や友情を描く『頭痛少女の純情』という、隠れた名作もお薦めしたい。本作の初出は『Cobalt』だが、徳間文庫で書籍化された。

no. 27

藤本(ふじもと)ひとみ〈まんが家(か)マリナ〉

美形キャラ満載の元祖逆ハーレム小説

あらすじ 読者アンケートで万年最下位の三流少女まんが家・池田麻里奈(いけだまりな)に、最後通告が下った。次も最下位ならクビと言われたマリナは、まんが家生命を懸(か)けて売れ線の大音楽大河恋愛セクシーロマンを描こうと決意する。作品の取材のため、マリナは中学時代の友人・響谷薫(ひびきやかおる)が通う音大付属高校を訪れた。男装の麗人の薫はヴァイオリンの名手としても知られ、学園祭コンサートで高価なガダニーニを弾く三人の候補の中に選ばれている。だがその座を争うライバルたちと、教師を務める薫の兄のスキャンダルが発覚。その後も恐ろしい事件が続き、マリナは真相究明に乗り出すが——。

初刊＝集英社文庫コバルトシリーズ
第1巻刊行年＝1985年
シリーズ巻数＝既刊23巻

併読のススメ シャルルと並んで人気が高い美馬貴司(みまたかし)を中心とした〈新花織高校恋愛サスペンス〉や、秘密結社「銀の薔薇(ばら)騎士団」をめぐる呪いと解決を描く〈ユメミと銀のバラ騎士団〉は、〈まんが家マリナ〉シリーズと同じ世界観で執筆された物語。キャラクターのクロスオーバー

ガイド　80年代のコバルト文庫を代表する人気作家の藤本ひとみ。デビュー作『愛からはじまるサスペンス』からスタートする〈まんが家マリナ〉シリーズは、売れない三流まんが家のマリナが取材のため訪れた先々で事件に巻き込まれながら、美少年たちにモテまくる元祖逆ハーレム小説だ。藤本の作品には歴史や美術、音楽、ツーリズムなどの要素が盛り込まれ、華やかかつ知的刺激に満ちた小説とイケメンキャラの数々は少女たちを虜（とりこ）にした。キャラクター人気という意味でも藤本作品は突出し、〈まんが家マリナ〉シリーズのシャルル・ドゥ・アルディなどは、バレンタイン時にダンボール25箱分のチョコレートが届いたという。他にも、フランス人とのハーフの黒須和矢（くろすかずや）や、名家弾上（だんじょう）家第三十代当主の美女丸（びじょまる）など、バラエティに富んだイケメンたちがマリナを取り囲み、彼女に思いを寄せていく。

藤本ひとみは1984年に第4回コバルト・ノベル大賞を受賞してデビューし、コバルト文庫を中心に活躍。王領寺静（おうりょうじしずか）名義では、少年が『三銃士』のような異世界に召喚される〈異次元騎士カズマ〉シリーズ（角川スニーカー文庫）なども手掛けた。1992年以降は少女小説から離れ、歴史小説や一般文芸に活動の場を移した。コバルト時代の主要シリーズはすべて未完かつ絶版で、入手困難となっている。歴史小説のヒット作としては、宝塚歌劇でも上演された『ブルボンの封印』などが有名だ。

や作品間のリンクもあり、併せてお薦めしたい。なお〈ユメミと銀のバラ騎士団〉は、2013年からビーズログ文庫で〈夢美と銀の薔薇騎士団〉としてリメイク復刊され（著者は柳瀬千博）、物語は20年の時を経て完結した。他にもコバルト文庫で未完に終わった〈KZ少年少女ゼミナール〉シリーズが、2011年から講談社青い鳥文庫で〈探偵チームKZ事件ノート〉としてリメイク続編が刊行中だ（著者は住滝良）。一般文芸として刊行された〈鑑定医シャルル〉シリーズは、〈まんが家マリナ〉のシャルルを主人公にしたサイコ・サスペンスで、コバルト時代とは一味違った雰囲気が楽しめる。

no.28

花井愛子『一週間のオリーブ』

ティーンズハートのカラーを決定づけた一作

初刊＝講談社X文庫ティーンズハート
刊行年＝1987年

あらすじ　恵まれた家柄に生まれた久遠寺由布子は、たびたび週刊誌で「皇太子のお妃候補」として騒がれていた。本人は真に受けていなかったが、高校3年生の春、本命に決定かと報じる記事が出てしまう。由布子は自由がなくなる前に青春を謳歌したいと願い、友人たちの協力を得て、一週間限定の一人旅に出かけた。偽名を使って年齢を誤魔化した由布子は、札幌で開催されるハウンド・ドッグのコンサートを目当てに北海道に降り立つ。だがチケットは完売しており、会場前で途方に暮れる彼女に、北海道大学の学生・惣領康則がチケットを引き取らないかと声をかけてきた――。

併読のススメ　毎月のように新刊を出していた花井だが、神戸あやか・浦根絵夢という別名義もあったため、刊行ペースは月刊以上だった。神戸あやか名義では大人びたテイストの三浦実子と組み、不良っぽい作品を発表する。第一作の『リフレインKAORI 1987』は父を知

ガイド 1987年2月に創刊された後発レーベルの講談社X文庫ティーンズハート。少女小説としてはやや中途半端なコンセプトだったレーベルのカラーを決定づけ、ドル箱へと変貌させた功労者の一人が花井愛子である。コピーライター出身の花井はマーケティングありきで本づくりを進め、読者ターゲットを普段は活字を読まない少女漫画好きの中学3年生に定める。ジャケ買いをしてもらうために人気漫画家のかわちゆかりを表紙に起用し、少女漫画のネームや宇能鴻一郎の官能小説にヒントを得て改行を多用した文体で小説を執筆。アツキオオニシや雑誌『Olive』などトレンドをふんだんに登場させる小説は人気を集め、毎月のように新刊を出す売れっ子となった。花井の活躍により読者の裾野が広がり、少女小説ブームはより一層加速する。花井で勢いづいたティーンズハートからは多数の作家がデビューし、80年代から90年代にかけて全盛期を築いた。

『一週間のオリーブ』は当時のお妃候補に対する国民的関心を下敷きに、『ローマの休日』テイストを取り入れたラブストーリー（ただし映画とは異なりハッピーエンドに終わる）。花井の他作品としては、映画化もされた代表作の『山田ババアに花束を』や、ティーンズハートの歴史の証言としても興味深いエッセイ集『ときめきイチゴ時代 ティーンズハートの1987〜1997』などもお薦めだ。

らない私生児として生まれ、ホステスの母と暮らす進藤かおりの物語。寂しさを抱えたかおりは、自分を受け止めてくれた英語教師の高木に恋をして、離婚調停中だという彼と同棲を始める。——と、ある時代までは定番ジャンルだった教師との恋愛ものだと思いきや、物語は後半で度肝を抜く展開をみせる。気になる人はぜひ本作を読んでほしい。浦根絵夢名義では漫画家のくりた陸を起用し、ファンタジー路線の作品を発表する。『猫街ふあんたじい』は大学生の青年・塚原友樹を主人公に、青山で暮らす猫たちと猫に変身してしまった友樹の交流を描くハートウォーミングな物語。猫好きの花井らしい小品だ。

no.29

林葉直子〈とんでもポリス〉

変装の名人・忍の推理が冴えるミステリー

あらすじ

徳川忍は、変装が得意な大学生。総理大臣である父親の知人から依頼を受け、Y県警本部の上級幹部による暴力団との癒着を暴き出すため、52歳の本部長に変装して警察に潜り込んでいた。ある夜、公園で松前高志というイケメン若手刑事と出会うが、たまたまその場所に若い女性の死体が遺棄されており、衣服に血がついた高志は殺人容疑で逮捕されてしまう。高志は己のアリバイを立証してくれる忍を捜し出そうとするが、警察署内の陰謀に巻き込まれ、どんどんと窮地に追いやられていった。高志の逮捕を知った忍は、得意の変装術を駆使して助け出そうとするが——。

初刊＝講談社X文庫ティーンズハート
第1巻刊行年＝1987年
シリーズ巻数＝全3巻＋続編12巻＋後日談3巻

併読のススメ

林葉以外の文芸第三のヒット作として、中原涼の〈アリス〉と神崎あおいの〈ヨコハマ指輪物語〉を紹介したい。『アリスSOS』というタイトルでテレビアニメ化もされた〈アリス〉シリーズは、タカシ・トシオ・ひろみ・ゆかりの「胸キュン・ペアー」が数学の神様M

ガイド 14歳3ヶ月という史上最年少で女流王将を獲得し、天才少女棋士として騒がれた林葉直子。タレント的な人気を博した林葉は、少女小説の世界でも大きな足跡を残している。デビュー作の『とんでもポリスは恋泥棒』から始まる〈とんでもポリス〉は、変装と名推理が得意な大学生の忍と、彼女の恋人で腕っぷしは強いがちょっとスケベな刑事の高志が様々な殺人事件に巻き込まれ、特技を活かして事件を解決するシリーズだ。19歳の忍が52歳の女性本部長を演じるというトンデモ設定こそあるものの、ストーリーもミステリー要素も緻密に練られており、キャラクターを主体としたライトミステリーとして総じてレベルが高い。また当時のティーンズハート作品としてはHな描写が多く、ポップなお色気要素もシリーズの売りとなっていた。作品はヒットし、イラストレーターを変更した〈新とんでもポリス〉、忍と高志の子どもが登場する〈ベビー・とんポリ〉と書き続けられていく。

　なおティーンズハートはある時期まで、講談社内の二つの編集部がそれぞれ担当していた。林葉直子や併読で取り上げる神崎(かんざき)あおいや中原涼(なかはらりょう)、また小野不由美(おのふゆみ)らは文芸図書第三出版部側の作家で、ティーンズハート時代の回想を語ることが多い花井愛子(はないあいこ)や津原(つはら)やすみ、皆川(みなかわ)ゆからはみな第三編集局企画部の作家である。二つの部署が並列した理由は社史『物語　講談社の１００年　第九巻』で明かされており、その経緯も興味深い。

Iに呼び出され、異世界に攫(さら)われたアリスを助けるために冒険を繰り広げる物語。作中には様々なタイプのパズルが登場し、それを解くことで物語が進んでいく。少女の知的好奇心を刺激する独特の作風が魅力的な異色作である。〈ヨコハマ指輪物語〉は、ティーンズハートでは珍しい魔法が登場するファンタジー路線の作品。横浜の聖シルク学園に通う少女チョコは、学園の創始者・黒田絹子(くろだきぬこ)が妖魔から奪った魔力を封じ込めた魔法の指輪を手に入れてしまう。手違いで指輪に選ばれてしまったチョコが、仲間たちと力をあわせながら妖魔と戦い成長していくという、コミカルな作風のラブファンタジー小説だ。

no.30

日向章一郎《放課後》

新宿を舞台にしたユーモア・ミステリー

あらすじ　高校1年生の秋月ケンイチは、女好きでちょっと軽薄な男子高校生。隣の家に住む幼馴染の渡辺ミサコとは、幼稚園から同じクラスの腐れ縁同士だった。ケンイチは憧れの先輩・桜子からバレンタインチョコを渡されて有頂天になるが、それは相談にのってもらうお礼だという。だが桜子は待ち合わせの場所には現れず、学校の屋上から墜落死した。その死は自殺だと判定されるが、ケンイチは腑に落ちない。桜子から渡された袋に入っていた謎の暗号文を糸口に、ケンイチはミサコと共に彼女の死の真相を探り出す。これがミサコ&ケンイチコンビによる謎解きの始まりだった――。

併読のススメ　コバルト文庫の他作品では、少女小説を代表するトラベルミステリーとして山浦弘靖の〈星子ひとり旅〉シリーズも外せない。名門女子校に通う高校2年生の流星子は、親友をいじめる上級生を懲らしめて停学処分を受けてしまう。だがこれを機に、星子はかねてより

初刊＝集英社コバルト文庫
第1巻刊行年＝1988年
シリーズ巻数＝全23巻

ガイド 80年代の少女小説で人気を博したジャンルであるユーモア・ミステリー。コバルト文庫でも様々なシリーズが刊行されているが、その代表作として日向章一郎の〈放課後〉シリーズを取り上げたい。都会の青春を謳歌するケンイチと、事件の探偵役を務めるミサコの幼馴染コンビが様々な事件に遭遇するシリーズは、みずき健の魅力的なイラストも相まって多くの少女たちの心を摑んだ。物語の舞台は新宿の高校で、作中には当時の流行りものが多数盛り込まれている。二人の都会的な学生生活に憧れた読者も少なくないだろう。第1巻以外では殺人事件は起こらず、頭脳明晰なミサコが推理の主導権を握っているのも本作の特徴だ。女の子に弱いケンイチと、彼に密かに思いを寄せているミサコは何かにつけて喧嘩をするが、物語が進むにつれて二人の仲は少しずつ親密になっていく。少女小説レーベルのミステリーらしい、ロマンス要素も楽しめるシリーズである。

同じ日向章一郎・みずき健コンビが手掛けるもうひとつの代表作である〈星座〉シリーズは、渋谷を舞台に展開する、先生と生徒の恋を絡めたユーモア・ミステリー。主人公は高校生の大野ノリミで、彼女の家に下宿する教師で星占いフリークの麦倉ナオトが探偵役を務める。〈放課後〉シリーズのミサコとノリミは従姉妹同士という設定で、〈放課後〉シリーズと合体した『乙女座のトム・ソーヤー』も刊行された。

念願だったひとり旅を決行し、ブルートレイン・特急寝台「さくら」に乗り込み長崎へと旅立った。長崎観光を満喫する星子だが、とある事件に遭遇し、探偵気分で調査を始める。そんな彼女に、列車で同室だった謎の男・美空宙太がつきまとうのだが……。惚れっぽい星子がいい男を求めて各地を一人旅し、行く先々で殺人事件に巻き込まれてしまうというミステリーのお約束と、青春18きっぷや時刻表を駆使したトラベル要素の融合が絶妙で、そこに宙太との恋も絡んでいく。〈星子ひとり旅〉は人気を博し、続編である〈星子&宙太ふたり旅〉や〈星子とらぶるファミリー〉もあわせて全52巻に及ぶ長編シリーズとなった。

no.31

風見潤〈幽霊事件〉

少女小説レーベルの本格トラベルミステリー

初刊＝講談社X文庫ティーンズハート
第1巻刊行年＝1988年
シリーズ巻数＝全46巻+続編20巻

あらすじ 青山大学の推理小説研究会に入学した大学1年生の水谷麻衣子、日下千尋、中田美奈子。三人は1年生だけの同人誌を作る計画を立てて、夏休み中に麻衣子の叔父が経営する清里のペンションで合宿を行った。その近くには、三年前に殺人事件が起きた通称〝幽霊屋敷〟が建っている。ペンションのレストランで食事をしていると、お客が一人消えたと店員が騒ぎ出した。赤いワンピース姿の女性客が食事中に席を離れ、トイレに服だけを残して幽霊のように消え失せたのである。以後も麻衣子たちの周辺では不審な出来事が続き、叔父は何かに怯えているようだが……。

併読のススメ 〈幽霊事件〉と共にティーンズハートの廃刊まで続いたミステリーとしては、秋野ひとみの〈つかまえて〉シリーズがある。最終的には100巻を超えたレーベルの名物ともいえる作品で、都立高校に通う工藤由香と藍沢左記子が名探偵となり、様々な殺人事件を解決

ガイド 80年代にはティーンズハートでも様々なミステリー作品が刊行されたが、風見潤の〈幽霊事件〉シリーズはその代表格といえるだろう。麻衣子・千尋・美奈子の三人組が探偵役となる本作は、麻衣子と千尋のロマンスの行方や同時代の風俗を描きつつ、全国各地を舞台にしたトラベルミステリーとして展開する。数々の事件の中にはミステリー好きを唸らせる設定やトリックが盛り込まれた作品もあり、大人にもぜひ挑戦してほしいシリーズだ。全66巻とボリュームがあるが、各事件は1巻読み切り形式で書かれているので途中からでも手に取りやすい。物語は麻衣子たちが大学を卒業する『卒業旅行幽霊事件』で一区切りを迎え、以降は京都に拠点を移し、麻衣子が美奈子と探偵事務所を立ち上げての〈幽霊事件・京都探偵局〉シリーズとなる。ティーンズハートの廃刊にあわせて刊行された『夜叉ケ池幽霊事件』が風見最後の新作となった。

青山学院大学の推理小説研究会出身の風見潤は、大学在学時からSFやミステリーの翻訳を手掛け、長編連作シリーズ〈クトゥルー・オペラ〉などでも知られる小説家・翻訳家・アンソロジストである。風見はある時期以降消息不明で死亡がほぼ確実とされており、同じティーンズハート作家の津原泰水は『猫ノ眼時計』ちくま文庫版収録の「病の夢の病の」で、風見の死にまつわる顛末を小説として描いている。

する。由香と左記子の痛快なやり取りや二人の友情も作品の読みどころとなっており、ここにそれぞれの恋愛事情も絡んでいく。またティーンズハートのミステリーの系譜を語るうえで、本格ミステリー愛好家から注目を集めた井上ほのかの存在も外せない。警察も舌を巻く推理力を誇るアイドルの八手真名子が活躍する〈アイドルは名探偵〉シリーズ（『アイドルは名探偵3 愛してるっていわせたい』のトリックが絶品！）や、少女の別人格が探偵役を務める〈少年探偵セディ・エロル〉シリーズなど、作品にはミステリーファンを唸らせる高度なトリックが登場する。再評価や作品の復刊を期待したい作家の一人だ。

no.32

津原やすみ〈あたしのエイリアン〉

ボーイフレンドは星から落ちてきた宇宙人！

初刊＝講談社X文庫ティーンズハート
第1巻刊行年＝1989年
シリーズ巻数＝全23巻

あらすじ ある秋の夜、百武千晶が暮らす街に大きな流星が現れた。これが、すべての始まりだった。学校帰り、千晶は神社でオレンジ色の髪と緑色の目をした不思議な容姿の少年と出会う。彼は千晶の後を追いかけて家の中に勝手に上がり込むが、千晶の両親は彼を「NYから来たイトコの星男」としてすんなり受け入れた。それまで存在しなかったはずのイトコが突然出現し、周囲の人々の記憶も改竄されていることに戸惑う千晶。混乱する彼女に、星男は自分の正体がとある任務のために地球に降り立った宇宙人だと明かす。こうして千晶と星男の、奇妙な同居生活が始まった——。

併読のススメ 〈あたしのエイリアン〉シリーズの魅力のひとつであるSF的な要素が登場する作品として、皆川ゆかの〈運命のタロット〉を紹介したい。高校2年生のライコこと水元頼子は、学校の閉ざされた資料館で「運命のタロット」の封印を解き、タロットに宿る精霊「魔

ガイド 〈あたしのエイリアン〉は、幻想小説やホラー、ＳＦやミステリーなどで活躍した津原泰水のデビュー作『星からきたボーイフレンド』から始まるシリーズ。津原は１９８９年から１９９６年まで津原やすみ名義で少女小説家として活動し、最後の作品となった『ささやきは魔法』で男性だと告白するまでは、編集部の指示により性別を明かさないスタンスで執筆を続けていた。コバルト文庫とは異なり、ティーンズハートでは風見潤や中原涼などの一部の例外的な作家を除き、男性作家たちは編集部の方針で性別を曖昧にしていたケースが散見される。

少女小説時代の代表作である〈あたしのエイリアン〉は、異星人の星男とボーイッシュな千晶を中心とした学園ＳＦラブコメ。女性に優しく優柔不断な星男と、素直になれない千晶の恋模様を中心に、乙女チックな友人の坂本真希や、星男に横恋慕する岡村五月や赤羽根菊子らライバルキャラたちが絡んでいく。シリーズは千晶の一人称で進むが、一部ではサブキャラクターが主人公を担い、とりわけ岡村五月が語り手となった『五月物語』『五月日記』では千晶視点では見えなかった物語の別の一面が明かされる。また主人公を変更した〈あたしのエイリアンＥＸ〉の最終巻では、星男と千晶が辿る衝撃の結末が語られた。津原泰水は２０２２年10月に亡くなり、その早すぎる死はファンに衝撃を与えた。少女小説時代の作品を含めて、彼が残した唯一無二の作品が永く読み継がれることを願いたい。

法使い」の“協力者”となってしまう。アカシック・レコードに刻まれた歴史をめぐり、運命のタロットの精霊たちは歴史の改変を目指す「プロメテウス」と、それを阻止する「ティターンズ」の二派に分かれて戦いを続けていた。それぞれ固有の「象徴の力」を駆使して戦う精霊と、思念で構成される彼らに力を提供する人間が協力者となるバトルは「フェーデ」と呼ばれ、戦いに巻き込まれたライコは他の精霊たちと対峙していくが――。独特のバトルシステムや個性溢れるキャラクター、張り巡らされた伏線に先の見えない複雑なストーリーなど、壮大なスケールで展開される運命と時間をめぐるスリリングなシリーズである。

no. 33

前田珠子〈破妖の剣〉

コバルトのファンタジー仕掛人の代表作

あらすじ 人類が魔性の脅威に怯えながら生きる世界、ガンダル・アルス。魔性を父に持つ半人半妖の少女ラエスリールは、意志ある破妖刀「紅蓮姫」に使い手として選ばれ破妖剣士となった。破妖剣士を束ねる浮城の長から、攫われた王女の救出を命じられ、古王国ガンディアに向かうラエスリール。なぜか護り手を自称して馴れ馴れしくまとわりついてくる奇妙な魔性・闇主と共に、ガンディアの王宮に辿り着いた彼女を待ち受けていたのは、漆黒の魔性・亜珠との死闘。そして、人として生きる自身とは反対に、魔性としての生を選んだ実弟・乱華との予期せぬ再会だった。

併読のススメ 前田珠子以降、コバルトの新人賞からはファンタジーのジャンルで活躍する作家が次々とデビューする。榎木洋子の代表作〈龍と魔法使い〉は、不良魔法使いとみせかけて有能で優しいタギと、風龍の娘・シェイラギーニを中心とした、龍と魔法の正統派ファンタジー小

初刊＝集英社コバルト文庫
第1巻刊行年＝1989年
シリーズ巻数＝全23巻

ガイド 1990年前後から花開くファンタジーというジャンル。コバルト文庫におけるファンタジーの仕掛人・前田珠子の代表作が、名剣「紅蓮姫」に選ばれた破妖剣士ラエスリール（通称ラス）の戦いと成長を描く〈破妖の剣〉である。本作は女の子の主人公が活躍するバトル小説としても先駆的な意義を持つ。半人半妖のラスは人間として生きようとするが、彼女の旅路には様々な魔性が絡み、やがて世界の命運を賭けた戦いに巻き込まれていく。ラスのもとに押しかけてまとわりつく闇主は、魔性ながらやたらと陽気で人間くさい性格の持ち主だ。邪険な態度をとり続けるラスと、彼女を翻弄し続ける闇主がみせるコミカルなやり取りはシリーズの見どころである。さらにラスは、魔性として生きることを選んだ弟・乱華からも歪んだ執着心を向けられる。過酷な運命に生きる少女剣士や、謎めいた魔性、シスコン弟など、一癖も二癖もあるキャラクターたちが多数登場して物語を盛り上げていく。

　コバルト・ノベル大賞1987年上期で佳作を受賞し、SF小説『宇宙に吹く風白い鳥』で文庫デビューをした前田珠子。第二作の『イファンの王女』は、前田が編集者に頼み込んで書いた、それまでのコバルトにはない三人称の異世界ファンタジーだった。本作によってファンタジー小説という新しい流れが少女小説の中で生まれ、それまでの一人称学園コメディ路線は下火になっていった。

説。デビュー作『東方の魔女』から始まる〈リダーロイス〉や〈緑のアルダ〉で大賢人として伝わるタギの若き日の姿を描いたシリーズだ。個人的に偏愛するリリカル路線では、〈東京S黄尾探偵団〉の響野夏菜のノベル大賞受賞作『月虹のラーナ』（人間のいなくなった世界の遊園地で出会った三体のロボットたちの旅を描く抒情幻想譚）や、水杜明珠の〈ヴィシュバ・ノール変異譚〉（ヴィシュバ・ノール大平原を舞台に、機織りの名手マルーシュと彼女を見守る謎めいた青年ガディルの日々を綴るメルヘンファンタジー。短編集『ヴィシュバ・ノールの風によせて』の凝りに凝ったタイポグラフィ遊戯は詩集のように美しい）がお薦めである。

no.34

若木未生〈ハイスクール・オーラバスター〉

32年の時をかけて完結した著者の代表作

初刊＝集英社コバルト文庫
第1巻刊行年＝1989年
シリーズ巻数＝全22巻＋続編4巻＋外伝1巻

あらすじ 崎谷亮介は、見えるはずのないものが見える厄介な力を持つ高校生。彼は自分の能力を隠して眼鏡をかけ、他者と距離を取りながら生きていた。だが水沢諒という、亮介にやたらとまとわりつく謎の転校生の登場によって、自分の力の正体を知ることになる。人間の心の闇に取り憑く〈妖の者〉と、〈妖の者〉を退治する力を持つ〈空の者〉は、長きにわたり戦いを続けてきた。亮介は同じ高校生術者の諒や七瀬冴子、里見十九郎や和泉希沙良ら仲間と出会い、彼らは〈空の者〉総帥・伽羅王の転生した姿である斎伽忍の指示のもとで〈妖の者〉と対峙し、戦いに身を投じていく。

併読のススメ 若木未生のもうひとつの代表作として知られる、音楽青春小説の〈グラスハート〉。女だからという理不尽な理由でバンドをクビになった西条朱音は、ロック界のアマデウスと呼ばれる天才音楽家藤谷直季のバンドにスカウトされ、テン・ブランクのメンバーとして

ガイド 若木未生は１９８９年に「ＡＧＥ」で第13回コバルト・ノベル大賞佳作に入選し、〈ハイスクール・オーラバスター〉シリーズの第1巻である『天使はうまく踊れない』でコバルト文庫デビューした。〈オーラバ〉の略称で親しまれる本作は、高校生術者たちが活躍するサイキック・アクション小説であり、また少年少女が悩み葛藤しながら成長を遂げる青春小説という一面も持つ。前田珠子と若木未生、桑原水菜の登場によって少女の口語一人称をベースにした80年代少女小説の時代は終わりを告げ、コバルト文庫ではファンタジーが人気ジャンルとして花開く。中でも若木は少年主人公小説を牽引した書き手であり、後進の作家にも大きな影響を与えた。本作はキャラクター人気の高さでも知られ、ドラマＣＤやＯＶＡなど様々なメディアミックスも行われている。

〈オーラバ〉は２００４年発売の『オメガの空葬』を最後に、コバルト文庫での刊行が途絶する。若木は２００５年刊行の『ゆめのつるぎ』を最後の著作として、コバルト文庫から離れた。長き中断を経て、シリーズは２０１１年から徳間書店に版元を移し、〈ハイスクール・オーラバスター・リファインド〉という名称で再始動、続刊が発売された。そして２０２１年にはシリーズ最終巻となる『ハイスクール・オーラバスター・リファインド 最果てに訣す』が刊行され、32年の時を経て物語は完結を迎えた。

デビューする。個性溢れるバンドメンバーたちの音楽へのひたむきな思いや、純粋ゆえに生じる様々な衝突、そして音楽業界を取り巻く大人たちやファンダムを描いた、名作バンド小説だ。本作もコバルト文庫から刊行されていたシリーズだが、２００２年発売の『ＬＯＶＥ ＷＡＹ』を最後に中断。最終巻の『イデアマスター』は幻冬舎バーズノベルスから刊行され、既刊も順次書き下ろしを加えたバーズノベルス版が発売された。なお集英社スーパーファンタジー文庫作品の〈イズミ幻戦記〉は、〈真・イズミ幻戦記〉というタイトルでトクマ・ノベルズから刊行中だ。次はこちらの完結を期待したい。

Column

日本の少女小説史２

１９７０年代末～１９８０年代

１９７０年代に入るとジュニア小説は低迷期を迎え、雑誌の廃刊が相次いだ。こうした状況の中で唯一発行を続けたのが、集英社の『小説ジュニア』である。そして同社は１９７６年に、集英社文庫コバルトシリーズ（現在のコバルト文庫、以後コバルト文庫と表記）という文庫レーベルを立ち上げる。創刊当初のラインナップは、コバルト・ブックスから出ていたジュニア小説の文庫化が中心となっていた。だが１９７７年頃からジュニア小説とは方向性が異なる作品が次々と刊行され、ここから少女小説に新たな流れが生まれていった。

この頃からコバルト文庫のラインナップに登場したのが、ＳＦ小説である。横田順彌（よこたじゅんや）の小説や豊田有恒（とよたありつね）によるＳＦアンソロジーなどが発行され、中でも１９８０年に出た風見潤（かざみじゅん）編の『海外ロマンチックＳＦ傑作選２　たんぽぽ娘』は名アンソロジーとして現在も人気が高い。

さらに、1978年発売の『さらば宇宙戦艦ヤマト 愛の戦士たち』（若桜木虔著・西崎義展監修）を皮切りに、アニメ映画や漫画のノベライズ路線も花開く。ノベライズはその後もメディアミックスの一環として、現在に至るまで少女小説レーベル（および後続レーベル）に根強く残るジャンルだ。他にも1981年からスタートした赤川次郎の『吸血鬼はお年ごろ』など、他社でブレイクした書き手がコバルト文庫でも新作を手掛けて人気を集めていった。

こうした新しいエンターテインメント路線の作品に加えて、新人賞出身の若手女性作家たちがコバルト文庫に新風を吹き込んだ。中でも大きな役割を果たしたのが、1977年に「さようならアルルカン」で小説ジュニア青春小説新人賞佳作を受賞した氷室冴子である。少女漫画に対抗できるエンターテインメント小説の確立を目指した氷室は、1980年発売の『クララ白書』で少女の口語一人称による青春コメディ路線を切り開く。氷室は以後も平安時代を舞台にした『なんて素敵にジャパネスク』などの人気作を次々と生み出し、コバルト文庫のヒットメーカーとして活躍した。氷室はまた、当時は死語になっていた「少女小説」という言葉を意識的に用いて復活させた人物であり、この言葉は1985

年からコバルト文庫のプロモーションに活用されて少女小説ブームを後押しした。

氷室の他にも『丘の家のミッキー』で人気を博す久美沙織や田中雅美、正本ノンらが77年から79年にかけてデビューし、四人をあわせて「コバルト四天王」と呼ばれるようになった。さらに、ＳＦ雑誌『奇想天外』の新人賞から鮮烈なデビューを果たした新井素子はコバルト文庫でもＳＦ小説を手掛け、『星へ行く船』シリーズが大ヒットする。読者よりも少し年上の、お姉さん世代の作家たちの躍進は続き、コバルト文庫の売上は伸びていった。

こうした若手作家の人気に後押しされるように、１９８２年に『小説ジュニア』は廃刊・リニューアルされ、誌面を一新した後続雑誌『Cobalt』が誕生する。さらに新人賞もリニューアルされ、１９８３年からコバルト・ノベル大賞と名前を変えた。この新人賞は様々な変遷を重ねつつも現在に至るまで継続中であり、長らくレーベルを下支えしている。

80年代以降も新人賞から多彩な作家が誕生し、コバルト文庫を盛り上げていった。『まんが家マリナ』シリーズなどで知られ、現在は歴史小説などを手掛ける藤本ひとみも、80年代コバルト文庫における大人気作家の一人である。またのちに一般文芸に移行して直木賞を受賞する山本文緒や唯川恵、角田光代（彩河杏）らのキャリアもコバルト文庫から始まった。

コバルト文庫では、男性作家たちも活躍をみせていた。男性作家の系譜はジュニア小説時代まで遡り、それ以降も赤川次郎を筆頭に、人気男性作家が多数登場している。少女小説におけるミステリーを語るうえで外せない『星子ひとり旅』シリーズの山浦弘靖や、『放課後』シリーズや『星座』シリーズの日向章一郎もともに男性作家である。なお、コバルト文庫では男性作家たちは性別を隠さずに活動していたが、ライバルレーベルである講談社X文庫ティーンズハート（次節で詳述）では、やや事情が異なっていた。同レーベルでは、風見潤や中原涼のようなごく一部の例外的な作家を除き、編集部の方針で男性作家たちは中性的なペンネームを使用して性別を明かさずに執筆する傾向がみられたのである。

１９８７年に講談社は講談社X文庫ティーンズハート（以下ティーンズハートと表記）という新レーベルを立ち上げ、少女小説の勢力図に変化が生じた。ティーンズハートの躍進に大きく貢献したのが、創刊直後に『一週間のオリーブ』を刊行した花井愛子である。コピーライターでもあった花井は、マーケティング目線で商品としての少女小説を企画し、少女漫画が好きな中学3年生の女の子をターゲットにした本作りを進めていく。そのために『少女フレンド』で人気だった漫画家のかわちゆかりにカバーを依頼し、少女漫画のネームや宇能鴻一郎の官能小説をモデルに、改行を多用した独特の文体を生み出した。花井の読みは当たり、ティーンズハートはそれまでは本を読まなかった少女たちにも訴求し、読者の裾野が大きく広がった。

花井愛子に続くティーンズハートのスターは、少女漫画家出身で『時の輝き』などで知られる折原みとと、ローティーンの読者を対象にしたポップな恋愛小説で人気を博した小林深雪である。この3人の著作はそれぞれ累計部数1000万部を超え、中でも折原と小林は2006年にティーンズハートが終わりを迎えるまでレーベルの主力作家として活躍した。

恋愛小説のイメージが強いティーンズハートではあるが、レーベルの全盛期にはバラエティ豊かな小説が刊行されていた。『十二国記』などで知られる小野不由美の出世作となったホラーものの『悪霊』や、風見潤の『幽霊事件』や秋野ひとみの『つかまえて』のようなミステリー、作中に登場するパズルが呼び物でテレビアニメ化もされた中原涼の『アリス』、女流棋士として活躍中だった林葉直子が手掛けたミステリー小説の『とんでもポリス』や、横浜を舞台に魔法の指輪が登場する神崎あおいのファンタジー小説『ヨコハマ指輪物語』、のちに津原泰水として活躍する津原やすみがデヴィッド・ボウイをオマージュした『あたしのエイリアン』、時間SFとして根強い支持を集めた皆川(みなかわ)ゆかの『運命のタロット』など、多彩な作品が生まれていった。

ティーンズハートの躍進によって少女小説はより一層活気づき、いちご世代とも呼ばれた団塊(だんかい)ジュニアを読者層に巨大な市場が形成される。少女小説の活況は社会現象として注目を集め、メディアでもたびたび取り上げられていった。1989年前後は少女小説ブームのピークであり、様々な版元が少女小説に新規参入する。この時期に乱立したレーベルの多くは短命に終わったが、その中では学研レモン文庫が比較的長く続き、ここから森奈(もりな)津子(つこ)の『お嬢さま』シリーズのような、攻めたパロディやギャグを駆使し、先鋭的なジェンダー観をみせる作品も生まれた。

80年代の少女小説の主流は女の子を主人公にした学園小説であり、少女の口語一人称が文体として採用されていた。だが90年前後を境に、少女小説のトレンドはドラスティックな変化を遂げる。

Section

3

1990年代

no.35

北原なおみ

〈ホームズ君は恋探偵〉

シャーロキアン北原尚彦のデビュー作

あらすじ 中学3年生の和津真理はミステリー小説が大好きな女の子。名探偵シャーロック・ホームズにあやかって〝イレギュラース〟という、ミステリー小説の研究や探偵の真似ごとをする探偵倶楽部を作ったが、会員は親友の鳩村正子だけ。学校の公認クラブにするためには三名以上の部員が必要だった。ある時、イギリスから志郎・ホームズというハンサムな転校生がやってくる。彼はシャーロック・ホームズの子孫を自称し、探偵倶楽部にも仮入会した。真理はホームズ君を正式な部員にしようと意気込むが、その矢先にとあるモノを捜してほしいと探偵倶楽部に初の依頼人が現れる――。

初刊＝講談社X文庫ティーンズハート
第1巻刊行年＝1990年
シリーズ巻数＝全5巻

併読のススメ ティーンズハートでは他作家からの紹介に加え、ライター出身者も活躍を見せていた。現在はニューヨークを拠点に黒部エリ名義で仕事をする青山えりかもライター出身の書き手の一人である。『ネバーランドに連れてって』は寄宿舎もの＋女の子の友情物語という少女

ガイド 本シリーズの第一作『ホームズ君は恋探偵』は、古書研究家で小説家、そして日本有数のシャーロキアンとして知られる北原尚彦のデビュー作。新人賞を設けなかったティーンズハートでは他作家からの紹介で小説を出すケースもあり、北原は青山学院大学推理小説研究会の後輩で〈あたしのエイリアン〉シリーズ著者の津原やすみとの繋がりで、ティーンズハートから小説家デビューする。津原同様女性的なペンネームをつけているのも、編集部の指示だったのだろう。

〈ホームズ君は恋探偵〉はティーン向けに書かれた物語であるが、そこは流石の北原尚彦で、随所にちりばめられたホームズオマージュにニヤリとさせられる。主人公の和津はホームズの相棒ワトソンのもじりで（志郎は真理をワッさんと呼ぶ）、探偵倶楽部のメンバーが集う喫茶店「221B」の由来は言うまでもなくホームズとワトソンが下宿していたロンドンベーカー街221Bから。真理の親友鳩村の名前も下宿の家主ハドスン夫人から取ったという。あとがきで明かされているように、作品そのものもコナン・ドイルの小説を下敷きにしている。第2巻『緋色のリップスティック』は『緋色の研究』、第3巻『4年目のラブサイン』は『四つの署名』、第4巻『消えた卒業写真』は短編「ボヘミアの醜聞」のオマージュだ。あとがきもホームズものを解説するよき手引きとなっており、この作品を通じてミステリー小説やシャーロック・ホームズの世界に開眼した読者もいたであろう。

小説の伝統的なエッセンスに、ティーンズハートらしいポップでキュートな異性愛ラブストーリーを織り交ぜた佳作。高校1年生で子どもっぽい埴科果林と大人びた白石芙蓉は寄宿舎で同室の一番の仲良しだが、芙蓉は両親の離婚のため神戸に転校することになった。二人は「タイニー・ティニー・ティンカーベル」という願いを叶えてくれるおまじないを心のお守りにしており、このフレーズが物語に不思議なリズムを生み出している。16歳の少女の胸に満ちる寂しさや切ない感情、そしてボーイフレンドや友人に対する尊い想いをリリカルに綴ったパートが印象的で、独特の詩的なテイストが魅力的な作品だ。

no.36

桑原水菜〈炎の蜃気楼〉

400年にわたる男たちの換生と愛執

あらすじ　長野県松本市で暮らす高校生・仰木高耶のもとに、戦国武将である直江信綱を名乗る青年が現れ、思いがけない高耶の正体と使命を告げる。戦国時代の怨霊が甦り、天下をかけて戦い続ける〈闇戦国〉。高耶は軍神・上杉謙信の命を受けて悪霊を討伐するために結成された、冥界上杉軍の総大将・上杉景虎の魂をその身に宿しているという。直江は景虎の後見人で、彼ら上杉夜叉衆は400年にわたって他者の肉体を奪う換生者として生き続けながら、怨霊を調伏していた。だが30年前の事件により、景虎はすべての記憶を失い高耶として換生していたのだった……。

初刊＝集英社コバルト文庫
第1巻刊行年＝1990年
シリーズ巻数＝全47巻

併読のススメ　桑原水菜といえば〈炎の蜃気楼〉で、それに続く代表作は〈遺跡発掘師は笑わない〉だろう。だがここでは個人的イチオシ作品である〈赤の神紋〉を取り上げたい。新進小説家・劇作家の連城響生は、天才戯曲家・榛原憂月の才能に打ちのめされ、彼の呪縛から逃れ

ガイド　桑原水菜のデビュー作から始まるシリーズであり、代表作でもある〈炎の蜃気楼（ミラージュ）〉。歴史上の人物をモデルにした戦国サイキック・アクションとしてスタートした物語は、第5・5巻と呼ばれる『炎の蜃気楼（ミラージュ）―断章―　最愛のあなたへ』で大きな転機を迎え、400年に及ぶ男たちの愛憎劇へと舵（かじ）を切る。生前の直江は景虎を滅ぼした上杉景勝（かげかつ）派に属し、景虎は御館（おたて）の乱（らん）で非業の死を遂げた。かつての敗者と勝者が換生後は主従の関係となり、カリスマ性に溢（あふ）れる景虎に対して、臣下の直江は愛憎入り乱れた複雑な感情を抱いている。二人の関係にはコバルト文庫では異例の伏せ字が使用されるような性愛も絡（から）み、読者は「直高」の関係性に熱狂した（第5・5巻の「あなたの犬です。狂犬ですよ」という直江の台詞や、第9巻に登場する伏せ字シーンは伝説となっている）。本作は熱いファンダムでも知られており、物語の舞台となった場所を訪れる「聖地巡礼」や、歴史が好きな「歴女」の先駆け的な作品でもある。本編の他、上杉夜叉衆の出会いを描く「邂逅（かいこう）編」、幕末の京都を舞台にした「幕末編」、景虎と直江の因縁となった30年前の事件を扱う「昭和編」などの外伝も刊行された。

桑原水菜は、1989年下期に「風駆ける日」でコバルト・ノベル大賞の読者大賞を受賞してデビュー。前田珠子（まえだたまこ）・若木未生（わかぎみお）とあわせて「女子大生トリオ」と呼ばれ、コバルト文庫の新しい流れを牽引（けんいん）した看板作家の一人である。

ようともがき苦しんでいた。天才モーツァルトと凡人サリエリを描く『アマデウス』を下敷きにした物語は、演じることで響生の魂を救済する無名の天才俳優・葛川蛍（かずらがわけい）という〝天使〟が登場することで、より一層複雑な愛憎劇としての展開をみせる。憂月と蛍に対する響生の執着は凄（すさ）まじく、第1巻から監禁や首絞めを行うなど、突き抜けた狂気を見せつけてくれる。現代演劇ものとしての読みどころも多く、『赤の神紋』や『メデュウサ』、『熱狂遺伝子（ファナティック・ジーン）』などのオリジナルの劇中劇や演劇にまつわる熱いシーンも多数登場。〈炎の蜃気楼（ミラージュ）〉だけではない桑原の世界や演劇ロマンを、この機会にぜひ味わってほしい。

no. 37

折原みと『時の輝き』

愛と死を真摯にみつめたミリオンセラー

初刊＝講談社X文庫ティーンズハート
刊行年＝1990年
シリーズ巻数＝全1巻＋続編1巻
書影＝講談社文庫版

あらすじ 神崎由花は、高校の看護科に通う16歳。初めての看護実習で訪れた病院で、彼女は初恋の人・守谷峻一と3年ぶりの再会を果たした。ハイジャンプの選手として有望な峻一は、バイクの事故で右足を骨折し、入院しているという。実習を通じて二人の距離は近づき、晴れて恋人同士となった。だがある日突然、峻一から一方的に別れを切り出されてしまう。失恋した由花を、さらなる衝撃が襲った。峻一は骨肉腫を患い、余命いくばくもない状態となり、わざと自分を遠ざけたのだった。すべてを知った由花は、悩んだ末に峻一に寄り添い、そばですべてを見届ける覚悟を決める。

併読のススメ 『時の輝き』が少女たちの生き方に影響を与えたように、ティーンズハートの倉橋燿子が手掛ける大河少女小説も、ある時期の女の子の心の指針となり、一時代を築いた。代表作である〈風を道しるべに…〉シリーズは、お嬢さまだった14歳の白鳥麻央がある日突然家族

ガイド ティーンズハートの看板作家の一人であり、『時の輝き』や〈アナトゥール星伝〉シリーズ、『2100年の人魚姫』、〈天使〉シリーズなど、多数のヒット作で知られる折原みと。中でもミリオンセラーとなった『時の輝き』は、高橋由美子主演で映画化もされた、彼女の代表作である。

恋人を看取る覚悟を決めた少女と、残された時間を精一杯生きる少年の姿を通じて、命の尊さと愛を描く『時の輝き』。本作は看護師志望の少女と、初恋の人・峻一との純愛を描くロマンス小説である一方、病や死についても真摯に掘り下げた作品でもある。「生きる」ことに真正面から向き合った物語は、時を超えて今もなお色褪せることなく輝き続けている。『時の輝き』は社会現象を巻き起こし、本作をきっかけに看護師を目指した少女たちも多数いたという。それほどまでに、90年代当時の女の子の生き方にも影響を与えた少女小説だった。続編の『時の輝き・2』は、峻一の妹・亜矢を主人公にした物語で、看護師となった由花も登場する。

折原は漫画家としてキャリアをスタートし『週刊少女フレンド』などで活躍。その後87年に『つまさきだちの季節』（ポプラ社）で小説家デビューを果たす。花井愛子の『山田ババアに花束を』の挿絵を担当した縁でティーンズハートからもデビューし、ヒットメーカーとして活躍した。ティーンズハートは〈アナトゥール星伝〉の完結にあわせ、2006年にレーベル終了となった。

も資産も失い、北海道の田舎町で新たに暮らしを始める物語。その後も数々の試練が麻央を襲うが、彼女は逆境に屈することなく、苦難を乗り越えながら前に進み、人生を切り開いていく。少女たちが感情移入し、主人公と共に成長できる等身大の感覚と、ドラマチックな事件が次から次へと巻き起こる波乱万丈なストーリー展開は、倉橋作品の何よりの魅力だ。倉橋はその後、児童レーベルの講談社青い鳥文庫に活動の場を移し、〈パセリ伝説 水の国の少女〉シリーズをヒットさせるなど、児童文学の世界で活躍をみせ、今もなお子どもたちの心に寄り添い続けている。

no. 38

ジーン・ポーター『リンバロストの乙女(おとめ)』

村岡花子(むらおかはなこ)と氷室冴子(ひむろさえこ)がこよなく愛した名著

刊行年（原著）＝1909年
初邦訳＝1940年（清水暉吉訳『黄色の帝王蛾』）
参照＝角川文庫版（村岡花子訳、1990年）
書影＝河出文庫版（上下巻）

あらすじ リンバロストの美しい森のほとりで母親と暮らす少女エルノラ。娘の出産中に最愛の夫を事故で失った母親は、エルノラに対して無慈悲で理不尽な態度を取り続けている。母親は娘にお金をかけようとはせず、それでも高等学校に進学したいエルノラは、リンバロストの森で採集した虫の標本を博物学者の「鳥のおばさん」に買い取ってもらい、自力で学校に通い始めた。森の自然に育まれながら自らの手でお金を稼(かせ)ぎ、勉強や学友との交流を通じて世界を広げていくエルノラ。やがて父の死の真相が明かされ、これをきっかけに母親は娘への愛情にようやく気づくのだった。

併読のススメ 氷室冴子の翻訳家庭小説に向けた熱い愛から生まれた、角川文庫マイディアストーリー。角川書店が版権を持つ絶版小説を赤いギンガムチェックの愛らしい装いで復刊したシリーズは、物語好きの女性の心を摑(つか)み、山崎(やまざき)まどかのエッセイや柚木麻子(ゆずきあさこ)の小説の中にも登場

ガイド

『リンバロストの乙女』は、アメリカの作家で博物学者のジーン・ポーターが1909年に発表した小説。本作は1940年に清水暉吉訳で朝日新聞社から初邦訳された。戦後に出た村岡花子訳が、氷室冴子が翻訳家庭小説の復刊のために企画した角川文庫マイディアストーリーの一冊として、1990年に文庫化されている。

物語の舞台は、もうひとつの代表作である『そばかすの少年』と同じ、大自然が広がるリンバロストの森。生粋のナチュラリストである作者は、リンバロストの大自然を物語の中で細やかに描き込み、作中から立ち上がる広大かつ豊かな森の光景は大きな読みどころとなっている。主人公のエルノラは蛾をこよなく愛するいわば「虫めづる姫君」であり、その特技を活かして自らの手でお金を稼いで進学するという、自立心旺盛な少女だ。エルノラは何度も絶望的な状況に陥りながらも、苦難に立ち向かい、その歩みを止めることなく前へと進んでいく。高校進学や母親との和解、とある青年との恋など、エルノラの人生の転機となる場面では蛾が重要な役割を果たしているのがなんとも面白い。また母親の作る魅惑的な料理の数々や、服装に関する言及など生活周りの描写も絶品。物語の中盤までは母親のネグレクトぶりが読んでいて辛くなるが、夫の死の真相を知ってからは己の行為を悔い、優しい母親に変身する。感情の振り幅が大きい母親も、作中で強い存在感を放つキャラクターである。

するなど根強い支持を集めている。氷室はこの企画にあわせて『マイ・ディア 親愛なる物語』（角川文庫）という、ブックガイドも書き下ろしで刊行。文学的には一段下に置かれている家庭小説というジャンルを取り上げて、作品の魅力を伝える水先案内人としての役割を果たしながら、物語を執筆した女性作家や翻訳者にも目配りをする。『マイ・ディア』は翻訳家庭小説への愛とリスペクト、そして物語に浸る極上の喜びが詰まった名エッセイ集だ。近年は氷室作品の復刊が進みつつあるが、残念ながら本作は絶版で電子書籍化もされていない。ぜひともどこかの版元に、この名著に光を当ててほしいものである。

no.39

森奈津子〈お嬢さま〉

パロディとギャグが炸裂する少女小説の前衛作

初刊＝Gakkenレモン文庫
第1巻刊行年＝1991年
シリーズ巻数＝全10巻
書影＝エンターブレイン版

あらすじ 花園学園中等部に通う綾小路麗花は、縦ロールの髪型とピンクのふりふりワンピース、そしてオーッホホホホという高笑いがトレードマークのお嬢さま。幼少期に愛読した少女漫画の悪役ライバルキャラが、脇役に甘んじて最後に改心することに悔し泣きして以来、麗花は悪役令嬢として誇り高く生き抜くことを決意する。いじわるお嬢さまとして学園に君臨する麗花の周りには、彼女の崇拝者で従者として侍る少女・佐伯や、気が弱い学園の王子さま、友人である王子を密かに愛する硬派な柔道部主将、女装が似合う文芸部部長、サディスト教師など、愉快な面々が集うのであった。

併読のススメ レモン文庫の森奈津子作品では〈お嬢さま〉シリーズが有名だが、他にも面白い作品が刊行されている。個人的な一押しは、セクシュアルマイノリティをテーマにした学園コメディ〈あぶない学園〉シリーズだ。高校1年生の蛍子はレズビアンで、10年前から花夜子を

ガイド 少女小説が売れに売れた80年代後半、様々な版元が新規参入してレーベルが乱立するも、その多くは短命に終わった。1989年に創刊し、1996年に休止したGakken レモン文庫は、『お嬢さまとお呼び!』から始まる〈お嬢さま〉シリーズというカルト的人気を誇る前衛作を生み出したレーベルとして、その名を歴史に刻んでいる。

ローティーン向けの少女小説という体裁の中で、高度かつ攻めた試みの数々を展開した〈お嬢さま〉シリーズ。魅力的なキャラクター造形や、異性愛だけではない多様なセクシュアリティの描写、パロディ精神に溢れたギャグの数々は今読んでも斬新だ。個性的なキャラの中でも、意地悪お嬢さまを貫きつつ、実は人がよい麗花は強いインパクトを残す。現在の異世界転生をベースにした路線とは異なるものの、悪役令嬢を主人公にした作品の先駆けといえるだろう。シリーズに通底するお笑い要素もキレキレで、時代劇のお約束を踏襲した『お嬢さまボロもうけ』や、男性同士の恋愛を描く耽美文化をギャグ化した『お嬢さまと青バラの君』、マルクスの『共産党宣言』のパロディも登場する『お嬢さま大戦』など、テーマ性を有した巻も面白い。中でも制服着用をめぐって教室に独裁者が誕生するという、ファシズムをカリカチュアした『お嬢さま帝国』は、シリーズ屈指の傑作と名高い。なお復刊版収録の新作短編では佐伯の名前が初めて明かされるなど、ファン必見の内容となっている。

一途に愛している。だが花夜子は蛍子の気持ちを知らず、それどころか高校受験が原因で彼女を憎んで敵とみなし、敗北を味わわせようと躍起になっていた。蛍子はゲイの美少年・祐介と、彼に目をつけられた健太（花夜子のいとこで敵対関係にある）とタッグを組み、サークルの創設をめぐってドタバタコメディが繰り広げられていく。主要キャラはレズビアンやゲイ、バイセクシュアルで、ストーリーの過激度は〈お嬢さま〉を上回る。90年代に雑誌『小説あすか』に連載された、様々なタイプのセクシュアルマイノリティが登場する名作『耽美なわしら』（ハヤカワ文庫JA）と併せて読みたいシリーズだ。

no. 40

山本文緒（やまもとふみお）『ラブリーをつかまえろ』

コバルト文庫出身の初直木賞作家

初刊＝集英社コバルト文庫
刊行年＝1991年
書影＝角川文庫版（『チェリーブラッサム』に改題）

あらすじ 中学2年生の桜井実乃（さくらいみの）は四年前に母を亡くし、銀行勤めで仕事人間の父と、ひとつ年上の華やかな姉・花乃（かの）の三人で、自由気ままな暮らしをおくっていた。だが花乃の補導をきっかけに父親は突然会社を辞め、便利屋稼業を始めてしまう。巻き込まれた実乃はしぶしぶ手伝いつつも、内心その選択を喜んでいた。ある日、幼馴染の大空弾（おおぞらはずむ）から、行方不明になった祖母の盲導犬ラブリーを捜してほしいと依頼を受ける。当初は迷子犬として捜索を続けていたが、大空家にラブリーを誘拐したことを記した脅迫状が届き、一家の立ち退きを迫ったことで、にわかに不穏な気配が増していく。

併読のススメ 1984年上期のコバルト・ノベル大賞に入選した唯川恵は、2001年に『肩ごしの恋人』（マガジンハウス）で直木賞を受賞する。少女小説時代の作品では、『1／2タイムの恋人』が印象深い。本作は優等生の実南子（みなこ）が従姉に連れられて出かけたディスコで「真夜中の

ガイド 1980年代に少女小説からキャリアをスタートし、のち一般文芸の世界に転じて直木賞を受賞した作家として、山本文緒、唯川恵、角田光代（彩河杏）らが挙げられる。中でも1987年下期にコバルト・ノベル大賞佳作を受賞してデビューし、1999年に『恋愛中毒』で吉川英治文学新人賞を受賞した山本文緒は、三人の中でも最も早く2000年に『プラナリア』で直木賞を受賞した。

今回取り上げる『ラブリーをつかまえろ』と続編『アイドルをねらえ！』は、それぞれ『チェリーブラッサム』『ココナッツ』と改題・加筆のうえ、2000年に角川文庫から再刊された作品だ（内容紹介は角川文庫版に基づく）。ジャンルとしてはライトミステリーに属し、『チェリーブラッサム』では盲導犬の失踪にまつわる事件が、続く『ココナッツ』ではロック歌手黒木洋介への脅迫事件が描かれる。だが本作で何より特筆すべきは、少女の内省を繊細に描き出すその筆致である。思春期の青春の日々や家族とのわだかまりなど、ごく日常的でありふれた、しかし少女にとっては重大事でもあるような事象をめぐる少女の感情に、山本は丁寧に光を当てていく。第1巻では家族との関係性、続編では実乃の憧れのお兄さんである僧侶・永春や、実乃に思いを寄せる少年・弾にまつわる恋模様が描かれるが、いずれの作品も日常の中に宿る感情の機微を見事に捉えている。

ミーナ」と名乗り、かつて自分を振った少年と再会する物語。化粧で別人になって夜遊びするなど、女の子の変身願望や背伸びしたい感覚を巧みに掬い上げた作品だ。1988年上期のコバルト・ノベル大賞でデビューした彩河杏（角田光代）は、2004年に『対岸の彼女』（文藝春秋）で直木賞作家となる。彩河作品では『三日月背にして眠りたい』がお薦め。高校を中退しバイトもクビになった生菜子が下宿・三日月荘の管理人にスカウトされ、様々な住人たちと交流を重ねる中で心を解きほぐしていく連作短編集は、現代のお仕事小説やライト文芸を先取りしたような作風で、地味ながら味わい深い。

no.41

小沢淳

〈Tales From Third Moon〉

あやうく、あやしい絆で結ばれる元主従の冒険譚

あらすじ　かつてこの地にあった第三の月出身のリューとエリアードは、故郷を失って以来、様々な世界を旅している。元王子で金髪のリューと、彼の忠実な副官で銀髪のエリアードは、以前は主従の関係にあったが、今は旅の相棒、そして無二の恋人だった。各地を放浪する二人は、気が付けば厄介ごとに巻き込まれている。今回はリューが市長の妻に言い寄られ、砂漠に逃亡して行き倒れかけるが、偶然出会った隊商に助けられて共に旅をすることになった。だが踊り子がエリアードに好意を示したことで二人の関係はぎくしゃくし、また隊商の隠された密命も明らかになっていく。

初刊＝講談社X文庫ホワイトハート
第1巻刊行年＝1991年
シリーズ巻数＝全18巻

併読のススメ　ホワイトハートの恋愛要素を含んだ男性バディ小説といえば、岡野麻里安の『鬼の風水』が思い浮かぶ。本作は人間界と鬼道界の戦いを描いた現代退魔もので、主人公の少年二人をめぐる恋愛要素も物語の柱のひとつとなっている。筒井卓也は退魔師一家に生まれなが

ガイド ファンタジーの活況を受けて、講談社は1991年にホワイトハートという新レーベルを創刊する。少女主人公の学園ものを展開するティーンズハートとは異なり、ホワイトハートではより年齢の高い読者層に向けたファンタジー小説が展開された。

創刊ラインナップの一つである〈Tales From Third Moon〉＝〈金銀〉シリーズは、幻想的な異世界冒険譚を縦糸に、「あやうく、あやしい絆で結ばれる」と銘打たれた金銀コンビの関係性を横糸に物語を紡いでいく。女好きで能天気なリューと、かつての主君を一途に愛しているものの、優柔不断さがあるエリアードの設定が絶妙で、美貌の二人は各地で様々な人に言い寄られ、時には嫉妬や気持ちのすれ違いがありつつも確固たる絆を見せていく。そんな金銀コンビのじゃれあいや心理的駆け引きも、本作の読みどころだ。〈金銀〉が開拓した恋愛要素を含んだ男性バディ小説は、ホワイトハートの定番ジャンルとなり、以後も様々な人気作が生まれていった。

個人的なお薦め巻は、第三の月時代の二人の過去が登場する『魔術師の弟子』。白魔術の総本山の街で、主従を入れ替えて占いの店を始めた金銀コンビは、諸侯たちの権力争いや魔術師の娘を交えた恋の三角関係に巻き込まれていく。過去と現在を交差させながら、揺れ動く二人の想いを描いた物語は甘く切ない余韻を残し、中でも王宮での出会いの場面の美しさは忘れがたい印象を残す。

ら、いまだ能力を発揮できない半人前の高校生。日本の退魔師の元締め・七曜会の思惑で、彼は一歳年下の篠宮薫とコンビを組むことを命じられる。薫は人間の父と鬼の母の間に生まれた半陽鬼で、ずばぬけた才能と魔性の美貌を持つが、協調性に欠ける問題児だった。薫と卓也は当初は反目するが、相棒として互いを認め合い、やがては恋人同士となる。鬼にとって最上級の愛情表現は、惚れた相手を食べること。鬼の血をひくバイセクシュアルの薫と、人間で異性愛者の卓也が、異なる価値観や愛情表現を受け入れるまでの葛藤を丁寧に掘り下げながら、全国各地を舞台に華やかな退魔バトルを展開するシリーズだ。

no.42

瀬川貴次〈闇に歌えば〉

謎の組織〝ヤミブン〟が活躍する怪異ミステリー

初刊＝集英社スーパーファンタジー文庫
第1巻刊行年＝1991年
シリーズ巻数＝全12巻
書影＝コバルト文庫版

あらすじ 二年前に祖母と母を事故で失い、天涯孤独の身となった大学生・楠木誠志郎。霊能力者だった祖母の血を受け継ぐ誠志郎は、不思議なものを見る力を持っている。誠志郎は引っ越し早々、隣人の古美術商が怪死するという不運に見舞われ、それ以降身辺で変事が頻発するようになった。おまけに、古美術商の部屋から消え失せた勾玉を捜す、あやしい二人組の男が周囲をうろつきだす。彼らの正体は、文部省の特殊文化財課（通称ヤミブン）に所属する国家公務員。いわくつきの文化財の保護と管理、時には破壊を秘密裏に行う組織の一員で、誠志郎と同じ霊能力者なのだった——。

併読のススメ 7世紀のチベットを舞台にした歴史ロマン〈風の王国〉（コバルト文庫）で知られる毛利志生子も、スーパーファンタジー文庫デビュー組の一人。デビュー作から始まる〈カナリア・ファイル〉シリーズは、古代道教をベースに発展した「呪禁道」をモチーフに、現代に生

ガイド 集英社は1991年に、男女両方の読者を射程に入れたスーパーファンタジー文庫を創刊する。コバルト・ノベル大賞の最終候補に残った瀬川貴次や、ロマン大賞受賞者の毛利志生子や谷瑞恵のように、90年代の新人賞受賞者の一部はスーパーファンタジー文庫からデビューした。

コバルト文庫の〈鬼舞〉や集英社文庫の〈ばけもの好む中将〉など、平安ものに定評がある瀬川のデビュー作から始まる〈闇に歌えば〉シリーズは、怪異をテーマにした現代オカルトミステリー。家族を早くに失った孤独な霊能力者・誠志郎が、ヤミブンのメンバーと出会い、文化財に関する霊事件を解決しながら自分の居場所を見出していく。誠志郎は不幸な境遇ゆえに人との関わりに臆病になっており、また己の霊能力も持て余している。そんな彼が様々な事件に関わりながら成長する、怪異もの×青春小説が読みどころだ。キャラクターも個性豊かで、霊獣オサキを従える穏やかな溝口耕作と、陰陽師の家に生まれたイケメンドS有田克也のヤミブンコンビは、とりわけ強い印象を残す。人気が高いジャンルである怪異もののクラシックとして、今も魅力を失わないシリーズだ。全12巻のうちコバルト文庫での復刊は第8巻まで、集英社文庫版は第1巻のみで終わっているのがなんとも惜しい。シリーズ後半に登場する御霊部の飛鳥井柊一を主人公にした〈聖霊狩り〉は本作とリンクするので、併せて読みたい。

きる呪禁師とマタラ神を信仰する謎の一族・綾瀬の戦いを描く伝奇ノベルだ。有王はとある仕事を通じて、一族を裏切った綾瀬真実夜と関わり、彼女からカナリアと呼ばれる特異な能力を持つ少年・燿を探す依頼を受ける。呪力対呪力の激しいバトルや、おどろおどろしい雰囲気が魅力的なシリーズだが、主人公の有王は不本意ながら呪禁師をやっているため、仕事に対する誇りも気概もない。普段はワンショット・バーでバーテンとして働いているという、やる気のなさやローテンションぶりが絶妙で、激しい呪術アクションとのギャップが楽しい。オカルトものや陰陽師もの、異能バトル好きにお薦めしたいシリーズだ。

no. 43

小野不由美
〈十二国記〉
異世界ファンタジー小説の金字塔

あらすじ 家にも学校にも居場所がなく、鬱屈した思いを抱えていた女子高生の陽子は、ケイキと名乗る不思議な男に導かれ、理由も知らされぬまま異世界へと連れ去られてしまう。彼と離れ離れになり、妖魔に狙われながら異邦の地を一人でさまよう陽子。繰り返される人々の裏切りに深く傷つき、孤独の淵に沈んでいた彼女に救いの手を差し伸べてくれたのは、心優しいネズミの半獣・楽俊だった。楽俊からこの世界の在りようを教わった陽子は、故郷へ還る術を求めて雁国に向かう。長く苦しい旅路の中、自分の弱さを見つめてたくましく成長した少女は、遂に己の天命を知ることになる。

初刊＝講談社X文庫ホワイトハート
第1巻刊行年＝1992年
シリーズ巻数＝既刊15巻
書影＝新潮文庫版

併読のススメ ティーンズハート出身の小野不由美は、1988年に『バースデイ・イブは眠れない』でデビューし、1989年刊行のオカルトミステリー〈悪霊〉シリーズが出世作となった。高校生の谷山麻衣は、強力なPK能力者の〝ナル〟こと渋谷一也とひょんなことから関わ

ガイド シリーズ開始30周年を迎え、初のガイドブックや挿絵を手掛ける山田章博の第二画集が刊行されるなど、ますます盛り上がりをみせる小野不由美の〈十二国記〉。ホワイトハートからスタートしたシリーズは、挿絵なしで一般向けにパッケージした講談社文庫版も出たのち、2012年からは再び山田章博のイラストを起用した新潮文庫の完全版として刊行中だ。早い時期から広く一般に評価、展開されていったシリーズとして知られており、累計部数は1280万部を突破した。

物語の舞台となるのは、十二の国が幾何学模様のように配置された古代中国風の異世界。ここでは仙人や妖魔が実在し、人を含めたすべての生き物は木の枝に実る卵果から生まれる。各国では王政がとられており、霊獣である麒麟が天の意思を受けて王を選ぶ。徹底的に作り込まれた人工美溢れる世界観や、政治や軍事を絡めながら重厚な人間ドラマを描くストーリーは、唯一無二の魅力を放つ。舞台となる国や時代、そして主人公は各話によって異なっており、様々な国の王や、王を選び補佐する麒麟を中心にシリーズは展開する。日本の女子高生であった陽子が慶国の王となるまでの苦難の道のりを描いた『風の万里 黎明の空』や、12歳の少女・珠晶が乱れた恭国を救うために麒麟のいる山を目指し、歴史上最年少の女王となる『図南の翼』が、個人的に心に刺さった。

るようになり、彼が所長を務める「渋谷サイキックリサーチ」でアルバイトを始める。容姿端麗かつ頭脳明晰だが毒舌なナルシストのナル、高野山で修行をした元坊主で拝み屋のベーシスト、ド派手な服装と化粧の巫女、テレビでも活躍する霊媒師、関西なまりのオーストラリア出身エクソシストなど、癖の強い能力者たちが怪事件に挑むシリーズだ。バラエティに富んだ各話もさることながら、シリーズを通じて巧みな伏線が張られており、ナルの謎にまつわる見事な構成に驚かされるだろう。本作は2010年から大幅な改稿を加えたうえで〈ゴーストハント〉と改題され、新装版が刊行された。

no.44

花衣沙久羅〈少年たちのハイパーロマン〉

コバルト系におけるBL小説の先駆け

あらすじ スペースコロニーKAIでモデルとして活躍する拓也の正体は、コロニーを支配する有島財閥の御曹司。ある日拓也はセラフィムと名乗る謎の美少年と出会い、二人はたちまち恋に落ちて同棲を始めた。だが蜜月は長くは続かず、セラフィムこと深沢世羅は突然拓也の前から姿を消す。そして再び顔を合わせた時は、有島財閥と対抗する杜財閥の当主代理を名乗り、別人のように振る舞った。拓也と世羅を引き裂いたのは、二つの財閥に絡んだ親世代の因縁。世羅の保護者である杜財閥当主は、とある理由から有島当主を憎み、彼に復讐のために巨大な陰謀を企てていたのである。

併読のススメ スーパーファンタジー文庫出身の花衣沙久羅は、1997年以降はコバルト文庫でも作品を刊行し、現在は様々なレーベルで活躍中である。作風も幅広く、BL小説や少女主人公小説、近年は性愛描写のある乙女系（TL）小説の著作も多い。花衣の近作では、2021

初刊＝集英社スーパーファンタジー文庫
第1巻刊行年＝1993年
シリーズ巻数＝全7巻

ガイド 90年代に入ると男性同士の恋愛を明るいタッチで描いた小説が登場し、ボーイズラブ（BL）という呼称が定着する。BLの波は少女小説にも及び、各レーベルで男性同士の性愛を扱う小説が増加した。1993年にスーパーファンタジー文庫から刊行された花衣沙久羅のデビュー作『戒－KAI－』から始まる〈少年たちのハイパーロマン〉シリーズは、コバルト文庫系におけるBL小説の先駆けとなった作品。なおコバルト文庫がBLという言葉を宣伝に用い、雑誌『Cobalt』で初のBL特集を組むのは1998年のことである。

SF的な設定やガジェット（とりわけ花衣独特の造語やルビはSF好きの心をくすぐる）をふんだんに取り入れながら、運命の恋人たちの姿をきらびやかなタッチで綴った物語は、二つの財閥をめぐる愛憎ものとしてスタートし、第2巻以降はよりSF色を強めていく。シリーズの主人公も拓也と世羅からレンとイサミに交代し、シティ・トキオを舞台にしたストリート・キッズの抗争から、謎の神経伝達物質「β－40」をめぐる陰謀と愛憎劇へと展開する。「β－40」を発現させ、「目覚めたる脳」の持ち主となってしまったレンには、地球と人類の未来が託される。彼が下す決断とイサミとの愛を描いた『愛－AI－ SideZ』は、涙なしには読めない一冊だ。人工的な世界の中で、人間の熱い思いがほとばしる、独特の魅力と中毒性を備えたシリーズである。

年にジュエル文庫から発売された『Beautiful』がとりわけ印象深い。乙女系小説ながら、500ページ超えの古代日本風大河ファンタジーという、異例の作風とボリュームを持つ大作だ。森と急流の国の元王子で、謀反で国を追われて傭兵団の頭領となったイカル。失われた小国・海と断崖絶壁の国の元皇女で、伝説の巫女の名を背負いながら占いと治療に身を捧げるタマユ＝リ。戦乱の時代に運命的に出会った二人を中心に、それぞれの信念と愛の芽生えを誠実かつ丁寧に描いた小説である。性描写も登場するが、表現は濃厚すぎず読みやすい。ファンタジー好きにお薦めしたい、異色の乙女系小説だ。

no.45

ひかわ玲子〈女戦士エフェラ＆ジリオラ〉

レーベルをまたいで刊行された女傭兵バディもの

あらすじ　青い髪の少女エフェラは魔道士のギルドで育つものの、いまだ力を発揮できない落ちこぼれだった。ある日エフェラは、ムアール帝国の礎石である「夢石の玉座」を一目見ようと宮殿に忍び込み、樹の上で漆黒の髪をした少女と出会う。彼女が皇女ジリオラであるとは知らないまま、宮廷脱出に協力してしまい、二人はムアール帝国の皇位継承をめぐる陰謀に巻き込まれていった。ハラーマ大陸を独占的に支配していたムアール帝国が徐々に衰退し、各地で混乱と戦乱が続く中、なりゆきで旅の道連れとなった二人は傭兵として、各地で戦いに身を投じながら運命と向き合っていく。

初刊＝大陸ノベルス
第1巻刊行年＝1988年（講談社X文庫ホワイトハート版＝1993年）
シリーズ巻数＝全5巻（幻狼ファンタジアノベルス版）
書影＝幻狼ファンタジアノベルス版

併読のススメ　剣を振るう強い少女主人公が登場するホワイトハート作品として、高瀬美恵の〈クシアラータの覇王〉を取り上げたい。本作は砂漠の王国を舞台に、人間同士の争いや、人間と魔族の対立を描く異世界ファンタジー小説である。国王の腹心の部下だったシュリンク将軍

ガイド 落ちこぼれ魔道士と家出中の皇女がバディを組み、傭兵となって各地で戦いながら、強い絆を築いていく。ひかわ玲子の代表作である〈女戦士エフェラ&ジリオラ〉シリーズは、ハラーマ大陸を舞台にした壮大な異世界ファンタジー小説であり、女戦士となった二人の少女の絆と友情を描くバディ小説として、今こそ再評価を求めたい名作だ。本作は1988年から91年にかけて大陸ノベルスで刊行され、出版社の倒産後、ホワイトハートに移籍して加筆を行い再刊された。その後、2008年に幻狼ファンタジアノベルスから再発売され、現在はこちらの電子書籍が入手可能である。

主人公のエフェラとジリオラは、作中でそれぞれ恋をして出産し、最終的にはどちらも父親が異なる子ども二人を育てあげている。少女から母へと属性を変えながらも、傭兵として戦い続ける設定は、少女小説の中の女性像としても先進的だった。シリーズが進む中で、ジリオラは88代皇帝に即位するよう強いられるが、その選択はエフェラとの別れを意味し、また愛娘の運命をも変えてしまう。彼女が下す大きな決断を描いた第6巻『オカレスク大帝の夢』（幻狼ファンタジアノベルス版では第4巻）は、シリーズのクライマックスになっている。ひかわ玲子はファンタジーを中心に翻訳と創作を手掛け、他作品には『三剣物語』（角川スニーカー文庫）や『クリセニアン年代記』（小学館キャンバス文庫）などがある。

の反乱によって王宮は血に染まり、国王とその妃は虐殺された。それから10年後、破嬢と呼ばれる殺人鬼が町で暴れ、罪もない人々を殺し回って恐れられている。破嬢の正体は、辛くも虐殺をまぬがれた元王女のサラ姫だった。彼女はラディヤードという美貌の魔族の王のもとに身を寄せ、シュリンクと彼の一人息子で幼馴染のシヴァ、そして国民に復讐を果たそうとしていたのだ。サラという怒りを抱えた苛烈なキャラを筆頭に、個性豊かな面々が登場する愛と憎しみの物語は、途中からギャグ色が強まり、最後はハッピーエンドを迎える。サラとシヴァ、そしてラディアードをめぐる三角関係も、本作の読みどころだ。

no.46

小林深雪『キッチンへおいでよ』

小説の中のお菓子を再現するお洒落な料理本

あらすじ

お菓子作りが大好きな小林深雪による初の料理本では、小説に登場する数々のスイーツの作り方が紹介されている。たとえば『あなたを忘れる魔法があれば』の「フレンチトースト」。『デートしようよ!!』の「メロンとタピオカのココナッツミルク」や「フルーツタルト」。『恋のキッチンへおいでよ』からは「ナッツミルク」。作者が普段から作っているおやつの「プリン」「マカロン」「マシュマロケーキ」などもご紹介。お洒落な写真の数々や、料理&恋にまつわるエッセイも収録した、女の子のためのお菓子の本。簡単でかわいくて美味しいお菓子たちをどうぞ召し上がれ！

併読のススメ

小林深雪のティーンズハート時代の代表作として知られているのが、『16才♡子供じゃないの』から始まる〈志保〉シリーズだ。高校生の湯沢志保と高野裕先生の恋や秘密の結婚をテーマにした物語は、のちに二人の娘の沙保に主役をバトンタッチし、最終的には四世

初刊＝講談社X文庫ティーンズハート
刊行年＝1993年

ガイド　花井愛子・折原みと・小林深雪の三人はティーンズハート発行の累計部数がそれぞれ1000万部を突破した、レーベルのヒットメーカーだ。中でも1990年に『ガールフレンドになりたい!!』でデビューした小林深雪は、ローティーンを対象としたポップで明るい恋愛小説を数多く手掛け、10代の少女たちから圧倒的な支持を集めた作家である。巻末には読者の恋愛相談に答えるコーナーなども掲載され、ファンとの積極的なコミュニケーションも人気を後押しする要因となっていた。

そんな小林の小説ではなく、お菓子本『キッチンへおいでよ』をあえて取り上げたのは、この本こそがティーンズハート時代の彼女の最高傑作だと考えているからだ（小説の紹介は併読のススメを参照のこと）。小林の持ち味であるポップでキュートな世界観を具現化したハイセンスなビジュアルや、小説の中に登場するお菓子を実際に作ることができるという魅力的なコンセプト、そして現在の目から見ても魅力的かつお洒落なレシピの数々からは、小林のセンスの良さや企画力の高さがうかがえる。本書は菓子研究家の福田里香がデビューするきっかけとなった作品として知られており、美大時代から親友だった小林と福田が共同でレシピ制作とスタイリングを担当した。福田はインタビューの中で、本作のセールスが約60万部となったと証言しており、好評ぶりがうかがえよう。

代にわたるシリーズとして書き続けられる。またティーンズハートの新人賞創設のタイミングで刊行された『恋愛小説のつくりかた』は、小説本文＋少女小説の書き方を指南する特別付録「少女小説家になる方法」のセットという実用度が高い作品だ。作家志望の少女と、彼女の弟妹で天才的な頭脳を持つ小悪魔のような双子の礼央&理央を中心とした物語は、小林が現在活躍中のレーベルである講談社の青い鳥文庫で2017年からリブートされ、現時点で12巻まで発売されている。なお小林はデビュー作から一貫してイラストレーターの牧村久実とタッグを組んでおり、ぶれない世界観や揺るがぬコンビぶりは健在だ。

no. 47

霜島ケイ〈封殺鬼〉

千年生き続ける鬼たちと陰陽師の伝奇ロマン

初刊＝小学館キャンバス文庫
第1巻刊行年＝1993年
シリーズ巻数＝全28巻＋続編既刊5巻

あらすじ 関西弁を喋る明るい戸倉聖と、クールで沈着冷静な志島弓生。二人の正体は、千年の時を共に生きる鬼だった。時は平安。菅原道真の遺恨を継ぐ鬼・雷電（弓生）と、愛した女を喰らい鬼となった大江山の酒呑童子（聖）は、世を呪い人を殺め続けていた。だが希代の陰陽師・安倍晴明と出会い、妄執から解き放たれる。晴明の流れを汲む陰陽道は土御門家が表を担い、呪詛や反魂など闇の秘術は神島・秋川・御影家からなる〝本家〟が密かに請け合っている。〝本家〟と契約を交わす弓生と聖は、晴明の血をひいた陰陽師たちに仕える使役鬼として、怨霊封じのために戦う――。

併読のススメ 男子のみが罹る疫病が流行して将軍職が女子へと継がれた江戸幕府の興亡を描いたよしながふみの『大奥』。キャンバス文庫の他作品では、この歴史改変漫画を先取りしたような秋津透の〈女王陛下〉シリーズを紹介したい。「男殺し」と呼ばれる疫病が流行し、男性

ガイド 小学館はパレット文庫に続き、この時期のトレンドだったファンタジーを展開する新レーベルとして、1993年にキャンバス文庫を立ち上げる。看板作品として人気を博した〈封殺鬼〉は、平安時代から生き続ける鬼コンビを主役にした、伝奇アクションロマン。晴明の系譜を受け継ぐ〝本家〟の陰陽師と、彼らに使役される鬼の関係を軸にした物語は、歴史上の人物や日本各地の伝承、神話などの要素も織り込みながら展開する。三つの家筋から構成される〝本家〟の様相や、一筋縄ではいかない鬼と人間の関わりは、様々なドラマを生んでいく。完成度の高いストーリーと、魅力的なキャラクターが印象的な、外連味溢れるエンタメ小説である。

　人間として生を受けながら鬼と化した聖と弓生は、人間とも鬼とも異なる時間の中で生き続けるさだめを背負う。孤独を共有する二人は強い絆で結ばれているが、普段のやり取りはどこまでもコミカルだ。家事全般が得意で主夫のような聖と、ブランドスーツを着こなして愛車のBMWを乗り回す弓生の、対照的な性格が楽しい。〝本家〟の関係者の中では、神島桐子が強いインパクトを残し、彼女を主役に据えた新章〈鵺子ドリ鳴イタ〉もルルル文庫で展開されている。キャンバス文庫版を読んでいなくても楽しめる内容で、江戸川乱歩を思わせる昭和初期を舞台にした世界観も魅力的。ここからシリーズに入るのもお薦めだ。

の大半が死亡した範王国では、若き女王・エリザベスが王位を継ぎ、女性たちが国政や軍事を担っている。大陸西方にある野蛮な新興国で男性が生き残った宇帝国は、女だらけになった範王国を征服しようと大軍を送り込む。王国は存亡の危機を迎え、急遽財務卿に任命されたアグネスは、将軍たちと共に戦争の最前線に送られた。範王国の将軍は美少年趣味に酒豪と曲者揃いで、おまけに天才と誉れ高い軍師は吟遊詩人の追っかけにうつつを抜かす奇人だった。アグネスは彼女たちに振り回されながら、財務卿として奮闘する。男尊女卑な宇帝国と、女ばかりの範王国の戦いをコミカルなタッチで描いた痛快なシリーズである。

no.48

あさぎり夕〈泉&由鷹〉

パレット文庫BL小説の嚆矢

あらすじ 小説家の父親と二人暮らしの相馬泉は、家事全般が得意な高校生。家族を捨てた母親や、憧れの先輩との決別、元カノの裏切りなど過去の人間関係がトラウマとなり、泉は他人との関わりを避けながら生きている。だがとあるきっかけで、女好きで能天気なサッカー部のエース・南郷由鷹に懐かれてしまい、彼は泉の手料理を目当てに毎日家に入り浸るようになった。太陽のように明るくて筋肉バカの由鷹は、鬱陶しがる泉をものともせず、ぐいぐいと距離を縮めていく。クールな優等生だった泉は、気が付けば由鷹のペースに巻き込まれ、この出会いが彼の運命を大きく変えていった。

併読のススメ パレット文庫の新人賞出身の七海花音は、穏やかな作風のBL小説や、友情をベースにした少年主人公小説を得意とする。男子校という箱庭的世界や、学園青春小説好きにお薦めしたい作家だ。デビュー作『僕らのピーターパン白書』から始まる〈聖ミラン学園物語〉

初刊＝小学館パレット文庫
第1巻刊行年＝1994年
シリーズ巻数＝全19巻＋続編13巻

ガイド 小学館は1991年、パレット文庫という少女小説レーベルを創刊する。少女主人公ものを中心とするレーベルの転機となったのが、人気少女漫画家のあさぎり夕が1994年に発表した、『僕達の始まり』というBL小説だった。講談社を離れてフリーになったあさぎりは、かねてより熱望していたBL路線にシフトし、〈泉&由鷹〉シリーズを皮切りに数々のBL小説を手掛けていく。あさぎりの登場以降、パレット文庫ではBL小説が増加し、レーベルのメインラインナップとなっていった。

泉と由鷹の友情と愛情が交差する〈泉&由鷹〉シリーズは、BL小説としては型破りな作品で、好みの分かれるリバ（受けと攻めが固定されない設定）や3P、女性との関係なども登場する。第1巻こそ二人の出会いを描いた王道のストーリーだが、第2巻以降は不良の先輩・伊達正吾や、美しくて冷酷な大学生・天野悟、由鷹の永遠の思い人である少女・五月野彗など新キャラが増え、複雑かつ入り乱れた人間模様が展開されていく。泉は様々な男性と関係を重ねるので、一途な由鷹×泉を期待して読むと驚くことになるだろう。泉総受け作品（ただし泉×彗、泉×悟もあり）という特徴を踏まえたうえで、手に取ってほしいシリーズだ。高校時代を描いた〈泉&由鷹〉全19巻に続き、大学生になった泉を主人公にした〈泉君〉シリーズ全13巻も刊行された、長編BL小説である。

は、東大寺コンツェルンの御曹司・優と、特別外部編入生として入学した天才ピアニスト早瀬ジュリアン歩の、親友の枠を超えた絆を描く。また代表作として知られる〈秀麗学院高校物語〉は非BL作品で、東京屈指の名門校を舞台に、少年たちの友情と青春の日々を全27巻のボリュームで展開する感動作だ。成績はトップだが天涯孤独で夜のバイトで生活費を稼ぐ苦労人・不破涼を中心に、彼の幼馴染の桜井悠里と、日舞の家元・花月那智の名物トリオが物語を引っ張っていく。2018年に小学館文庫キャラブン！から刊行された〈英国紅茶予言師〉では、長年得意とする少年学園ものと今人気のライトミステリーとを融合させた物語を描いている。

no.49

飯田雪子『忘れないで—FORGET ME NOT—』

少女同士の友愛を描いた隠れた佳作

初刊＝講談社X文庫ティーンズハート
刊行年＝1994年

あらすじ 炎天下の公園で待ちぼうけを食わされていた東郷汐里は、見知らぬ美少女から突如声をかけられた。彼女は島崎真梨乃と名乗り、再会を喜んで極上の笑顔を見せるが、汐里には全く心当たりがない。自分と親しかったらしいこの謎めいた少女は、一体誰なのか。汐里は真梨乃の正体を探るが、卒業アルバムの中にも過去の記憶の中にも彼女の存在は見つからなかった。汐里の戸惑いをよそに、真梨乃は幽霊のように彼女の前に突然姿を現しては、私を思い出してという謎めいた言葉を囁いていく。不思議な少女の出現をきっかけに、汐里は忘れていたはずの記憶と向き合うことになる。

併読のススメ 第7回ティーンズハート大賞佳作を受賞した橘ものデビュー作『翼をください』は、当時15歳の作者によるいじめ自殺の物語。いじめの傍観者となってしまった少女の心の葛藤を、同年代の作者による等身大のリアリティと冷静な視線とを両立させて描いており、投げ

ガイド ティーンズハートは1993年に新人賞を創設し、第10回まで募集が行われた。結果的にこの賞はティーンズハートが盛り返す起爆剤とはならず、レーベルの看板となるヒット作も出ていない。とはいえ、新人賞そのものに実りがなかったわけではない。飯田雪子や橘もも、萩原麻里や森美樹らが新人賞からデビューしており、その後は他のレーベルに活躍の場を移している。

第1回ティーンズハート大賞を受賞した飯田雪子は、男女の異性愛小説が多いティーンズハートの中で、少女同士の友愛をリリカルに描いて新風を吹き込んだ作家である。デビュー作の『忘れないで －FORGET ME NOT－』は汐里と謎の美少女・真梨乃を中心に、忌憚ない意見をやり取りできる友人や、とある理由で汐里に執着をみせるライバルなど、様々な少女が登場。女の子の揺れ動く感情を繊細に掬い上げながら、彼女たちの葛藤と成長に真正面から向き合った物語は、普遍的な魅力をたたえている。飯田雪子に興味を持った人は、『あの扉を越えて』（とりわけ2008年刊行のホワイトハート版）にも挑戦してほしい。思春期の少女たちの純粋さや頑なさ、そして友情の危機を乗り越えた末の尊い絆を描いた名作だ。他にも『夏空に、きみと見た夢』（ヴィレッジブックス）や『僕はここにいる』（ホワイトハート）など、良質のジュブナイルを書き続けている作家である。

かけられたストレートなメッセージが読者の心を打つ。近年の橘はOLとして働く抜け忍・陽菜子が活躍する〈忍者だけど、OLやってます〉（双葉文庫）が好調で、第4巻まで発売中だ。また第3回佳作を受賞した森美樹の『十六夜の行方』は、男の子みたいな夏葉と女の子みたいな七海の、いとこ同士のラブストーリー。ガラス細工を思わせる繊細な作風や叙情的な文体が印象的で、夏の透明な情景を封じ込めた美しい小品である。森は2013年に「女による女のためのR－18文学賞」読者賞を受賞し、再デビューを果たす。『主婦病』や『母親病』（ともに新潮社）など、近年は「女」をテーマにした作品が多い。

no. 50

樹川さとみ〈楽園の魔女たち〉

四人の訳あり魔術師見習いの痛快コメディ

初刊＝集英社コバルト文庫
第1巻刊行年＝1995年
シリーズ巻数＝全21巻

あらすじ 魔術師の塔〝楽園〟の当主・エイザードは、弟子を取らなければ追い出すと組合に脅され、四人の少女に魔術師見習い募集の広告文を送りつけた。彼のもとに集ったのは、美少年にしか見えない剣士のファリス、皇帝の孫娘のダナティア、百年に一度といわれる秀才で風変わりな性格のサラ、童顔で最年少だが実は人妻のマリア。問題児エイザードに弟子入りした訳ありの少女たちは、修行に励みながら魔術師を目指す。この事態を面白がって料理係になったマッチョな剣士のナハトールと、ヒヨコのような外見のエイザードの使い魔・ごくちゃんを加えた日々は騒動続きだった。

併読のススメ 樹川同様コバルト文庫で活躍した90年代の非生え抜き作家としては、野梨原花南も挙げられる。野梨原は1992年に『救世主によろしく』（白泉社ノベルズ）でデビューし、コバルト文庫初作品の1997年刊行『ちょー美女と野獣』が大ヒット。本作から始まった〈ち

ガイド コバルト文庫は新人賞出身の作家陣が充実しているが、他レーベルデビューの非生え抜き作家も活躍をみせた。1988年に「環」で第1回ウィングス小説大賞に入選し、『月の女神スゥール・ファルム 永遠の誓い』(大陸ノベルス)で単行本デビューをした樹川さとみもその一人である。1993年の『雪月の花嫁』でコバルト文庫デビューをした樹川は、元来は悲劇的な作風を得意としていた。だが〈楽園の魔女たち〉では一変してコミカルさを打ち出し、シリーズは樹川の代表作として人気を博す。個性豊かな少女たちの軽快な会話文で展開する物語は楽しく痛快、そして少し切ない余韻を残す。コメディとシリアスの絶妙なバランスや、巧みに張り巡らせた伏線、そしてむっちりむうにいのイラストがぴたりとはまった快作である。本作は男性人気が高い作品としても知られている。

他にも、〈楽園の魔女たち〉同様コメディテイストを打ち出した〈グランドマスター!〉や、上下巻の名作ファンタジー〈時の竜と水の指環〉、現実と幻想のあわいを描いた佳作メルヘン『箱のなかの海』などがある。樹川は2013年に前例のない病を発症し、闘病の顚末をまとめた『入院してみた 血の海です、と医者が言い。』を刊行。ユーモアを交えながら、己の病状を冷静に語る闘病エッセイを残して、樹川は2022年に亡くなった。今後は旧作の電子化が進むことを期待したい。

よー〉シリーズは、ジェムナスティ国の王女ダイヤモンドと、トードリア国の王子ジオラルドを中心とした物語で、ファンタジックなストーリーに90年代の女子高生言葉を融合させた異色作だ。予想外の組み合わせが絶妙なテイストを醸し出す物語は、恋愛ありギャグありのお伽噺。宮城とおこによる美麗なイラストもキャラの魅力を引き出している。2018年からコバルト電子オリジナルで刊行中の〈ちょー東ゥ京〉は、〈ちょー〉と地続きの作品。異世界に迷い込んでしまった少年・クジと、教師・カンラン先生の物語は新しい読者はもちろん、往年の〈ちょー〉ファンも必見である。

no. 51

朝香祥〈旋風は江を駆ける〉

呉を舞台にした朝香三国志始まりの一冊

初刊＝集英社コバルト文庫
第1巻刊行年＝1997年
シリーズ巻数＝全12巻

あらすじ 中国の後漢末期。敵軍の放った矢によって父・孫堅を亡くした孫家の若き総領・孫策は、袁術の配下として戦い続けていた。だが功に報いず不義理を繰り返す主に業を煮やし、独立勢力としての旗揚げを決意する。幼馴染の周瑜に相談するも、彼が提案した策は「負けいくさを演じたあと、袁術に叩頭哀願し、兵を借り受ける」という屈辱的なものだった。孫策は怒りながらも周瑜の策に乗り、亡父が遺した忠臣と私兵軍の一部を取り戻す。以後も孫策軍は孫策の武勇と周瑜の知略で躍進を続けていく。順調に見えた彼らの歩みだが、両者の間には次第にすれ違いが生じていて――。

併読のススメ コバルト文庫の歴史ものを語るうえで、倉本由布の名は外せない。第3回コバルト・ノベル大賞に16歳で入選した倉本は、デビュー当初は現代を舞台にした恋愛小説を手掛けていたが、1991年に『夢鏡 義高と大姫のものがたり』という源頼朝の長女を主人公

ガイド コバルト文庫でも様々な歴史ものが出ているが、中でも朝香祥による〈かぜ江〉シリーズは、多くの少女を三国志沼に落とした作品として名高い。三国志といえば諸葛亮や劉備などの有名どころが真っ先に思い浮かぶが、朝香が題材に選んだのは蜀・魏・呉の三国の中でもマイナーな呉。孫策と周瑜という性格も家柄も異なる二人を主人公に、戦乱の世に生きる男たちの熱い友情を描いた物語は、史実と作者の想像力が融合した歴史小説の理想形といえるだろう。

上下巻で発売された第一作『旋風は江を駆ける』は、孫策と周瑜の固い絆と、孫策の江東制圧完了までを描いている。直情的な孫策には無謀と紙一重の危うさがあり、彼を諫める冷静な周瑜も言葉が足りずどこまでも不器用だ。深く信頼し合う二人のすれ違いは切ないが、それゆえにラストはとびきりのカタルシスをもたらしてくれる。脇を固める家臣団も個性的で、孫策の部下である呂範や呂蒙らも物語の中でいきいきと立ち回る。シリーズは以後も続き、孫策の死後に起きる三国志史上最も有名な赤壁の戦いや、若き日の孫策と周瑜の日々などへと広がっていく。シリーズの最終話であり、孫策と周瑜の最期を描いた『天翔る旋風 三国志断章』は、角川書店から単行本で発売された。コバルト時代から読み続けてきた読者にとっては感無量の一冊に仕上がっているので、朝香三国志ファンはぜひ手に取って欲しい。

にした物語を発表する。本作は『清水 冠者物語』を下敷きにしており、以後倉本は日本史をベースに独自のロマンを織り込んだ歴史ものの書き手として活躍する。なお倉本はのちに大姫を題材にした生まれ変わり小説『約束 大姫・夢がたり』も出しており、大姫に対する関心の深さがうかがえる。歴史ものの代表作である〈きっと〉シリーズは、女子高生の臼井濃子が戦国時代にタイムスリップし、斎藤道三の娘の身代わりとして織田信長に嫁ぐ物語。濃子編を皮切りに娘の蒼生子、さらにその娘の瑚々と、親子三代にわたって時をかける少女たちの生きる姿と時代を超えた愛を描いた歴史ロマンとして展開する。

no.52

椹野道流〈奇談〉

術者と半精霊の助手コンビの妖魔退治ラブファンタジー

あらすじ アパートの火事で家を失った琴平敏生は、自暴自棄になり行き倒れたところを、新進気鋭のミステリー作家・天本森に助けられる。天本は人気小説家だがそれは表向きの顔で、裏の仕事は霊障を扱う「組織」に所属する追儺師だった。蔦の精霊と人間の間に生まれた敏生には常人にはない力があり、彼を見込んだ天本の助手に誘われ、様々な事件に関わることに。不思議な力を気味わるがられて父から疎まれた孤独な敏生と、とある事情で心に深い傷を負った天本。それぞれに愛情に恵まれずに育った二人は、当初は術者と助手として、やがては恋人となり新しい関係を築いていく。

初刊＝講談社X文庫ホワイトハート
第1巻刊行年＝1997年
シリーズ巻数＝全29巻

併読のススメ ホワイトハートの新人賞出身作家の中でも、天才プロファイラーを主人公にしたとみなが貴和の名作〈EDGE〉は忘れがたいシリーズだ。性別不詳な美貌を持つ心理捜査士の大滝錬摩は、凶悪事件や連続犯罪のスペシャリスト。だが、3年前の事件で相棒・藤崎

ガイド 長らく新人賞を設けなかったティーンズハートに対して、ホワイトハートは早い段階から新人賞を開催し、ここから様々な作家がデビューを果たす。第3回ホワイトハート大賞エンタテインメント小説部門で佳作を受賞した椹野道流は、受賞作の〈奇談〉シリーズをヒットさせ、以後多数のレーベルで活躍を続ける人気作家だ。〈奇談〉シリーズは、美貌の追儺師と半精霊の少年コンビを中心とした退魔ファンタジー。陰陽術を駆使する天本と、精霊の力を借りて彼をサポートする敏生が霊障事件に挑む。周りを固めるキャラクターも個性豊かで、天本が使役する妖魔の小一郎は力こそ強いが人間界の常識には疎く、天本の高校時代からの親友で豪快な性格の監察医・龍村泰彦は、法医学教室出身の椹野の特性が活かされたキャラに仕上がっている。友情と師弟愛、そして家族愛が入り混じった二人のBLテイストを感じさせる関係性も読みどころだ。

　天本は家事が得意という設定で、作中には彼が作る様々なご飯が登場し、椹野はのちに〈にゃんこ亭のレシピ〉や〈最後の晩ごはん〉など食べ物がモチーフになった人気作も生み出す。講談社ノベルスからは法医学ミステリー〈鬼籍通覧〉シリーズを刊行し、高里椎奈〈薬屋探偵〉シリーズと並び、本格ミステリー路線のレーベルの中で女性読者へ訴求する路線を展開した功績も見逃せない。

宗一郎が大怪我を負い、脳障害が残った彼の世話をするために仕事から引退する。ところが超高層建造物だけを狙う連続爆弾犯「黄昏の爆弾魔」が世間を騒がせ、捜査に行き詰まった警察は錬摩に対する切り札を持ち出し、捜査への協力を要請した。犯罪者心理に精通する錬摩は、一方では自身も簡単に精神の暗い淵に転げ落ちる危うさを抱えている。爆弾犯や幼女誘拐、無差別毒殺犯などの事件を通じて錬摩の過去が明かされ、少しずつ回復をみせる宗一郎と錬摩の関係性も進展するなど、緊迫感の漂う展開には最後まで手に汗を握る。全5巻とコンパクトなうえに電子書籍化もされているので、ぜひこの機会に手に取ってほしい。

no.53

荻原規子（おぎわらのりこ）

〈西の善き魔女（にしのよきまじょ）〉

少女が世界の謎に迫る波乱続きの物語

初刊＝C★NOVELSファンタジア
第1巻刊行年＝1991年
シリーズ巻数＝全8巻
書影＝角川文庫版

あらすじ グラール王国の辺境の地セラフィールドで暮らす15歳のフィリエルは、初めて参加する舞踏会に心をときめかせていた。唯一の家族である父親は人里離れた天文台に閉じこもり、フィリエルの幼馴染の少年ルーンを助手にして観測と研究に没頭している。だが父親から渡された母親の形見の首飾りをつけて舞踏会に参加したことで、フィリエルは己の出生の秘密を知る。グラール王国では女王制がとられており、首飾りの青い石は初代女王の血を受け継ぐ者を判別する機能を持つ宝石だった。フィリエルの運命は大きく動き、やがてこの世界の驚くべき仕組みが明かされていく。

併読のススメ C★NOVELSファンタジアのもうひとつのお薦め作である、茅田砂胡の〈デルフィニア戦記〉。卑劣な陰謀に嵌（は）められ国を追われたデルフィニアの若き国王ウォルは、大勢の刺客に囲まれていたところを不思議な少女リィに助けられた。幼く可憐な姿に反して、リィは

ガイド　C★NOVELSは1982年に中央公論社が創刊した新書レーベル。1993年にはファンタジー系を展開するC★NOVELSファンタジアが立ち上げられ、荻原規子の〈西の善き魔女〉や茅田砂胡〈デルフィニア戦記〉などを世に送り出した。狭義の意味での少女小説レーベルではないものの、ファンタジー路線を好む読者にとっては親和性が高い存在といえるだろう。

　1988年、日本神話をモチーフにした『空色勾玉』で鮮烈なデビューを果たした荻原規子。勾玉三部作を完結させた後は〈西の善き魔女〉を手掛け、本作は2006年にテレビアニメ化された。物語は15歳の少女フィリエルを主人公にした正統派ファンタジーとして始まるが、シリーズが進む中で思いもよらぬ展開をみせる。一体なぜこの国では天文学が禁忌で、フィリエルが知っている『シンデレラ』などの童話は異端なのか。物語の序盤で提示される謎の数々は、その後の展開の大きな伏線となっているのだ。フィリエルとルーンの恋模様も読みどころであるが、少女小説的には全寮制のトーラス女子校を舞台にした第2巻『秘密の花園』が一押し巻。男子禁制の学校の中、女王候補をめぐるスリリングな陰謀劇の合間に顔を出す、腐女子たちの姿（女王候補の筆頭が自分の兄とルーンの妄想恋愛小説を執筆し、その原稿を受け取った生徒は奇声をあげて踊り出す）が強烈なインパクトを残す。

人間離れした怪力を振るう優れた戦士であり、しかも別世界から落ちてきた来訪者だという。友となった二人は、追手の襲撃をかわしながら、ラモナ騎士団が守るビルグナ砦へと辿り着く。国王帰還の知らせを受けて、雌伏の日々を終える英傑たち。王都コーラルの城内に幽閉されたウォルの養父フェルナン伯爵を救い出し、奪われたデルフィニアの玉座を取り戻すため、ウォルとリィの戦いが始まる——。なお本作の原型は、『週刊少年ジャンプ』の大人気漫画『キャプテン翼』の二次創作として発表された同人誌の〈望遠鏡〉シリーズ。日向小次郎と若島津健がオリジナルキャラに置き換えられている。

no. 54

リンダ・ハワード『マッケンジーの山(やま)』

人種差別問題を織り込んだハーレクインの名作

刊行年(原著)=1989年
初邦訳=1998年(高木晶子訳)
書影=ハーレクイン・プレゼンツ作家シリーズ別冊版

あらすじ アラバマの田舎町(いなか)に赴任(ふにん)した高校教師のメアリーは、成績トップながら学校からドロップアウトした生徒ジョーの存在を知る。放っておけずに家庭訪問に出かけるも、メアリーの車は故障し凍死寸前に。そこに男手ひとつでジョーを育てるウルフ・マッケンジーが現れ、彼女を救助した。ウルフはこれまで一度も異性に興味を持たれなかったメアリーの秘めた美しさに気づき、彼女もまた野性的なウルフに心を奪われる。だがアメリカ先住民の血をひくウルフは、自分たち親子に関わるなとメアリーを突き放す。ウルフはかつて強姦(ごうかん)罪の容疑で逮捕され、刑務所に入っていたのだった。

併読のススメ 日本におけるハーレクインの歴史は、30周年記念本『ロマンスの王様 ハーレクインの世界』(洋泉社)に詳しい。この本の読者アンケートで人気作品第一位に選ばれたのが、ダイアナ・パーマーの『ちぎれたハート』だ。両親を事故で亡くし、伯父一家に虐(しいた)げられて育っ

ガイド 女性向けのロマンス小説を全世界で展開するカナダのハーレクイン社。日本には1979年に上陸し、以後現在に至るまで大人の女性たちを魅了し続けている。ハーレクインの最大の特徴は、必ずハッピーエンドで終わるという〝お約束〟。ヒロインは絶対に幸せになるという安心感に支えられて、読者は波乱万丈な物語に身を委ねられるのだ。海外発作品ゆえにヒーローは男らしさやセクシーさが打ち出されており、主要ファン層も少女小説とは重なっていないと思われる。だが女性読者に支えられたジャンルであることや、コミカライズが人気を博している点では類似性が指摘できる。なおハーレクインのコミカライズを展開しているのは世界中で日本だけで、日本における漫画人気の高さがうかがえよう。

リンダ・ハワードの代表作『マッケンジーの山』は、ネイティブ・アメリカンをめぐる人種差別問題にも意欲的に切り込んだロマンス小説だ。物語は野性的で女性への欲望が強いウルフと、恋愛には初心(うぶ)だが芯(しん)が強くて優しい性格のメアリーという正反対な二人の恋物語として進む。アメリカ先住民の血をひくウルフ親子はつまはじきにされており、町で起きた新たなレイプ事件でも真っ先に容疑者として疑われる。人種差別や偏見という社会的なテーマと、濃密な恋愛劇を融合した名作であり、以後〈マッケンジー家〉シリーズとして展開されていった。

た看護師のノリーン。心臓外科医のラモンは、ノリーンのせいで妻のイサドラが死んだと思いこみ彼女を憎んでいる。重い心臓病を患(わずら)うノリーンはその病をひた隠し、彼女がずっと想いを寄せているラモンの辛辣な態度にも耐え続けていた。ある時ノリーンは心臓発作を起こし、ラモンが手術を担当したことで、彼はイサドラの死の真実を知るのだが……。華やかな従姉イサドラの陰に隠れるように生きてきたノリーンは、どこまでも健気(けなげ)でひたむきだ。一方のラモンは傲慢鬼畜系キャラだが、真実を知ってからは一転ノリーンを溺愛(できあい)するように。誤解が生み出すもどかしさやヒーローの変貌(へんぼう)ぶりが楽しめる作品である。

no. 55

今野緒雪(こんのおゆき)

〈マリア様(さま)がみてる〉

男性からも熱い支持を受けた女子校群像小説

あらすじ　明治から続くカトリック系のお嬢さま学校として名高い、私立リリアン女学園。学園に通う高校1年生の福沢祐巳(ふくざわゆみ)は、容姿も成績もごく平均的な目立たない生徒だった。ある日祐巳はマリア像の前で、全生徒の憧(あこが)れの的であり、密かに慕(した)っている「紅薔薇のつぼみ(ロサ・キネンシス・アン・ブゥトン)」こと小笠原祥子(おがさわらさちこ)に呼び止められ、曲がった制服のタイを直される。この出来事を機に、祐巳の平凡な生活は一変した。リリアン女学園高等部には、上級生と下級生がロザリオの授受を通じて契(ちぎ)りを交わす「姉妹(スール)」という独自の制度がある。とある事情から祥子は祐巳を「妹(プティ・スール)」に選び、ロザリオを渡そうとするのだった。

初刊＝集英社コバルト文庫
第1巻刊行年＝1998年
シリーズ巻数＝全37巻

併読のススメ　今野緒雪作品では〈マリみて〉が有名だが、1993年上期コバルト読者大賞を受賞した作者のデビュー作から続く〈夢の宮〉シリーズも、多くの人に知ってほしい中華ファンタジーの名作だ。古代中国を思わせる鸞(ろあん)国の王宮の奥深くにある、「夢の宮」と呼ばれる

ガイド 少女小説は女性を中心に愛好されているジャンルである。だが〈マリみて〉の愛称を持つ〈マリア様がみてる〉はテレビアニメのヒットも相まって、メインのファン層が男性というイレギュラーな受け方をした作品だった。
物語はリリアン女学園高等部の生徒会である「山百合会」と、その構成員である「紅薔薇」「白薔薇」「黄薔薇」という三つのグループを中心に展開する。お嬢さまたちの浮世離れした学生生活や作中に登場する独特の呼称の数々は、現代学園ものとは思えない非日常感を生み出しており、読者を〈マリみて〉ワールドへといざなう。本作は〈クララ白書〉や〈丘の家のミッキー〉の系譜に連なるコバルト文庫の女子校ものであり、祐巳の成長を描く正統派の少女小説という一面を持つ。一方では少女たちの姉妹関係や様々な絆に光を当てた青春群像劇でもあり、百合小説としても親しまれ、2000年代における百合ブームを牽引する作品のひとつとなった。全37巻とボリュームがあるが、中でも祐巳と祥子の出会いの巻である『マリア様がみてる』や、白薔薇さまこと佐藤聖の同性との秘められた恋が明かされる『いばらの森』、そして祐巳と祥子のすれ違いという絶妙な引きで〝レイニー止め〟という用語を生んだ『レイニーブルー』などが印象に残る。祐巳の弟・祐麒を主役にしたスピンオフ作品〈お釈迦様もみてる〉も生まれた。

小さな離宮。本作はこの「夢の宮」を舞台に、様々な時代の恋物語を読み切り型で描く、オムニバス小説である。シリーズ最初の話は、幼馴染として育った二人の王子のいずれかを王に選ばなければならない姫の悲劇の物語。続く第2巻では女好きの愚王と噂される鷺王に復讐を誓う、亡国の王女が辿る数奇な運命と愛を描く。悲恋からハッピーエンドまで多様な結末を迎える姫たちの生きざまはいずれもドラマチックで、幻想的な読み口をたたえたストーリーも面白い。個人的にお気に入りの巻は、年の差ものの『夢の宮 叶の果実』。〈夢の宮〉は現時点で電子書籍化されておらず、今後の集英社の動きに期待したい。

no. 56

駒崎優
〈足のない獅子〉
13世紀イギリスを舞台にした中世歴史活劇

あらすじ　時は13世紀の英国。生まれてすぐに母を亡くしたリチャードは、叔父にあたるブラッドフィールドの領主夫妻に引き取られ、騎士としての教育を受けていた。あるる日、シェフィールドの町外れに住むユダヤ人の金貸しが、救いの手を求めてリチャードを訪ねてくる。泥棒に奪われてしまった借金の証文を取り戻してほしいというのだ。領主の息子で従兄弟のギルフォードと共に、犯人捜しを始めるリチャード。町の住人たちの助力を得ながら次第に犯人へと迫る二人だったが、この泥棒騒ぎには地方の有力者であるストックスブリッジの領主サー・ベインズが関わっており——。

併読のススメ　少女小説の歴史ものといえば、榛名しおりの名も挙げたい。少女を主人公にしたヒストリカルロマンを得意とする榛名は、時代の荒波に翻弄されながらも愛と己の生きる道を求めて奮闘する女性の激動の人生を紡ぎ続けている作家である。第3回ホワイトハート大賞佳作

初刊＝講談社X文庫ホワイトハート
第1巻刊行年＝1998年
シリーズ巻数＝全10巻

ガイド 少女小説の中でもバラエティに富んだ作品が生み出されているジャンルとして、歴史ものが挙げられる。ありとあらゆる時代を題材にしながら展開される、史実と創作の融合から生まれるドラマチックな物語は、少女小説の豊穣な成果のひとつといえよう。第5回ホワイトハート大賞佳作を受賞した駒崎優は、デビュー作の『闇の降りる庭』が15世紀イタリア、そして〈足のない獅子〉が13世紀イギリスを舞台にした物語と、中世ものに強い書き手として活躍を続けている作家である。

〈足のない獅子〉は、荘園領主の跡取り息子であるギルフォードと、その従兄弟で王家の庶子だと噂されるリチャードの、騎士見習いコンビが主役のシリーズ。リチャードは独立資金を稼ぐために様々な事件の解決を請け負っており、物語は二人が関わるトラブルを中心に展開する。聡明だが影のあるリチャードと、明るくやんちゃなギルフォードの絆が読みどころだ。他にも、私生児として生まれた甥を息子同様に愛する包容力に溢れたギルフォードの両親や、忠実な弟分の小姓トビー、二人に協力的な娼館の経営者ナタリーなど、味のあるキャラクターたちが周囲を固める。第2巻からはジョナサン司祭が登場し、この時代ならではの教会要素も加わってより一層中世活劇らしさが増す。〈黄金の拍車〉シリーズは騎士に叙任されたあとの二人の活躍を描いた続編で、こちらも併せて読みたい。

を受賞した『マリアブランデンブルクの真珠』は、17世紀ドイツ地方を舞台に、父を処刑した選帝侯に純潔を奪われた少女マリアの悲劇から始まる愛を描いた鮮烈な物語。〈アレクサンドロス伝奇〉は、マケドニアが大帝国へと発展する古代地中海を舞台にした壮大なシリーズで、娼窟に買い取られた少女サラを主人公に、フィリッポス2世の庶子リュシアスや、彼の異母弟のアレクス、ペルシアの海将メムノンの息子ハミルらが絡みながら展開する。他にもエリザベス1世を描いた『王女リーズテューダー朝の青い瞳』など、ヨーロッパ史をベースにした重厚なロマンが魅力の書き手だ。

no. 57

須賀しのぶ〈流血女神伝〉

神々と人が交差する激動の大河少女小説

あらすじ

ルトヴィア帝国の辺鄙な山村で暮らす猟師の娘カリエ。14歳の雪の日、悪天候にもかかわらず彼女はなぜか父に命じられ、狩りに出かけた。獲物を探すカリエの前に、エディアルドと名乗る貴族風の男が突如現れ、彼女を攫う。ルトヴィア帝国の第三皇子アルゼウスと瓜二つの容貌をもつカリエは、重い病に伏した彼の影武者に仕立てあげられ、政治的陰謀に巻き込まれていく。冷徹な教育係のエディアルドのもと、カリエは徹底的にしごかれるが必死に食らいつく。そして見事アルゼウスに成りすまし、次期皇帝の選定にそなえて他の皇子たちが集うカデーレ宮へと向かった――。

初刊＝集英社コバルト文庫
第1巻刊行年＝1999年
シリーズ巻数＝全22巻＋外伝3巻＋番外編2巻

併読のススメ

須賀しのぶは、それまでのコバルト文庫にはないモチーフを持ち込んだ、革新的な作家であった。初期の代表作である〈キル・ゾーン〉は、近未来の地球を舞台にしたミリタリーSF小説。女であることがハンデとなる軍隊の中で、治安部隊の曹長を務める凄腕の傭兵

ガイド　『惑星童話』で1994年上期コバルト読書大賞を受賞してデビューした須賀しのぶは、近年は一般文芸に軸足を移し、『革命前夜』で大藪春彦賞を受賞、『また、桜の国で』では直木賞にノミネートされるなどの活躍を見せている。そんな須賀のコバルト時代の代表作として知られる〈流血女神伝〉は、数奇な運命に翻弄されながらも力強く生き抜く少女カリエの激動の運命を描くサバイバルファンタジーだ。本作はルトヴィア帝国の崩壊をめぐる歴史小説と、テナリシカ大陸に伝わる混沌の女神・ザカリア流血女神をめぐる壮大な神話が交差する物語でもある。誘拐されたカリエは皇子の身代わり、ハレムで奴隷のち正妃、その後は逃亡と流転の人生をおくりながら、たくましく生き延びる。最悪な出会い方をしたエディアルドや、第一皇子のドミトリアス、カリエの敵にも味方にもなる謎の神官サルベーン、ユリ・スカナ王国の第二王女で男装の麗人のグラーシカなど、魅力的なキャラクターが多数登場し、それぞれが波乱の人生を歩んでいくのも〈流血女神伝〉の読みどころである。

　本作は完結から15年近くを経て、コミカライズ企画がスタート。窪中章乃作画による『流血女神伝 帝国の娘』は、小学館の「サンデーうぇぶり」と『月刊サンデージェネックス』で連載中だ。伝説的な名作が令和の時代に新始動し、新たな読者を獲得しているのが喜ばしい。

キャッスルを主人公にした物語は、ミリタリーや戦争という要素を打ち出しながら熱帯雨林ボルネオにおける壮絶なサバイバルを描き出す。また、オレンジ文庫でシリーズ化された〈雲は湧き、光あふれて〉は、須賀が愛好する高校野球をモチーフにした物語。須賀は一般文芸でも『夏の祈りは』や『夏空白花』などを発表しており、高校野球に対する関心の深さがうかがえる。第一次世界大戦時のイギリス空軍の傭兵部隊に集う、愛すべきヒコーキ野郎たちを描く〈天翔けるバカ〉は、男のロマンとシビアな戦争をコミカルに活写したアクション小説。シリアス路線とは一味違う須賀の作風が楽しめる。

no. 58

津守時生〈三千世界の鴉を殺し〉

愉快なSFミリタリーガイズ・ラブ小説

あらすじ とある事情で辺境惑星のカーマイン基地に左遷された、ルシファード・オスカーシュタイン大尉。軍情報部の大物将校を父に持つルシファードは、女も男も魅了する壮絶な美貌と型破りな性格をした、稀代のトラブルメーカーだった。彼の部下たちは、軍人らしからぬ新任大尉の言動に翻弄されていく。基地の病院には〝ドクター・サイコ〟という異名を持つ、外科医・サラディンが勤務していた。彼ははるか昔に絶滅したはずの蓬莱人の末裔で、ルシファードはサラディンを〝狩る者〟たちの手から守るよう、父から命じられる。この出会いによって二人の運命は動き出した。

併読のススメ 90年代の少女小説では男性主人公が増加するが、その多くは10代の設定だった。だが独自路線をゆくウィングス系では、〈三千世界の鳥を殺し〉や麻城ゆう〈特捜司法官S－A〉のような、成人男性を主役にした作品が刊行されている。近未来を舞台にした〈特捜司法官S

初刊＝ウィングス文庫
第1巻刊行年＝1999年
シリーズ巻数＝既刊23巻

ガイド ウィングス文庫を代表する人気作の〈三千世界の鴉を殺し〉は、惑星バーミリオンを舞台にしたコミカルなSFミリタリー小説。男女を問わず好意を向けられる美貌のルシファード、彼の士官学校時代以来の友人で副官のライラ、解剖マニアのサラディン、外見は美少年だが実年齢は150歳の内科主任カジャなど魅力的なキャラクターが登場し、カーマイン基地の愉快な日常や、一転してシリアスな戦いが描かれる。ルシファードは奔放な性格と異能力の持ち主で、部下たちはそんな彼に振り回されてばかり。ルシファードと彼を取り巻く人たちとの、軽快な台詞の応酬も楽しい。なお作中にはBL的な男×男描写（ただし作者いわく最後まで本番はなしとのこと）も登場する。基地内では軍人同士の恋愛妄想小説が載るゴシップ誌「パープル・ヘヴン」が発行されており、ルシファードも雑誌を愛読中だ。

　1998年に創刊されたウィングス文庫は、〝小説のヌーベル・バーグ〟を標語に創刊された雑誌『小説ウィングス』を母体誌に持つレーベル。独自色のある女性向けファンタジー＆SF小説を展開中だが、雑誌は2021年に休刊し「WEB小説ウィングス」としてリニューアルした（レーベルは引き続き継続）。津守時生は多戸雅之名義の『緑の標的』でデビュー。本作とも繋がりのある〈喪神の碑〉や〈カラワンギ・サーガ〉など、SFファンタジーを中心に多数の作品を発表している。

ーA〉は、麻城ゆう原作、道原かつみ作画による漫画〈ジョーカー〉の作中に登場する超人気テレビドラマ『特捜司法官S－A』の主演俳優・秋津秀を主人公にした外伝小説。刑事と裁判官と死刑執行官を兼ねた合成人間・特捜司法官の役を演じる秋津秀が事件に巻き込まれ、謎に満ちた本物の特捜司法官S－Aたちと思いがけない形で関わりながら真相を暴き出す。数々の事件を通じて深まる秋津とS－Aの友情など、人間と合成人間の絆を魅力的に掘り下げたシリーズだ。〈新・特捜司法官S－A〉では新キャラも登場し、ネオヒューマンや人類の進化などにもテーマを広げながら物語が展開する。

Column

日本の少女小説史 3

1990年代

80年代の少女小説では、少女の口語一人称をベースにした学園恋愛小説が花開いた。ところが1990年前後を境に、トレンドは大きく移り変わる。コバルト文庫の新人賞からデビューした若手作家たちが次々にファンタジー小説を発表して人気を集め、その流れは他の版元にも及んでいった。

コバルト文庫のファンタジー路線を切り開いたのが前田珠子(まえだたまこ)である。SF小説でデビューをした前田は、編集者に頼み込んで自分が書きたいファンタジーものに取り組み、1988年に『イファンの王女』という三人称の異世界ファンタジー小説を発表する。前田は1989年から『破妖の剣』という、少女剣士を主人公にしたファンタジー小説をスタートさせて大ヒットし、本作は少女小説におけるバトルヒロインものの先駆けとなった。

前田に続くように、若木未生(わかぎみお)や桑原水菜(くわばらみずな)らもデビューし、少年を主人公にしたファンタジー小説で活躍をみせる。若木未生の『ハイスクール・オーラバスター』は、異能を持つ高校生たちを中心とした青春バトル小説であり、桑原水菜の『炎の蜃気楼』は戦国サイキックアクション小説としてスタートし、途中から四百年に及ぶ男同士の濃密な愛憎劇へと舵を切って熱狂的なファンを生み出した。前田を含めてデビュー当時の三人は大学に在学中で、「女子大生トリオ」として90年代におけるコバルト文庫の看板作家となり人気を博した。

以後もコバルト・ノベル大賞からは、若手作家たちが次々とデビューして、レーベルを盛り上げていく。『龍と魔法使い』の榎木洋子や、『東京S黄尾探偵団』の響野夏菜、『夢の宮』や『マリア様がみてる』の今野緒雪、『キル・ゾーン』や『流血女神伝』の須賀しのぶらは、この時期の受賞者だ。また『楽園の魔女たち』の樹川さとみや『ちょー』シリーズの野梨原花南のように、新人賞出身者ではない書き手たちもレーベルで活躍し、ヒットシリーズが誕生している。

なお集英社は1991年に、スーパーファンタジー文庫という新レーベルを創刊した。『伯爵と妖精』の谷瑞恵や『風の王国』の毛利志生子のように、90年代にはスーパーファンタジー文庫からデビューしたコバルト作家たちもいた。

こうした流れを受けて、講談社は1991年に講談社X文庫ホワイトハート（以下ホワイトハート）という新レーベルを創刊する。ティーンズハートの姉妹レーベルとして立ち上げられたホワイトハートでは、より年齢の高い読者層が想定されており、ファンタジーや少年主人公の流れを取り込んでいく。創刊ラインナップの一冊である小沢淳（おざわじゅん）の『金銀』シリーズは男性主人公の異世界ファンタジー小説で、ひかわ玲子（れいこ）の『女戦士エフェラ&ジリオラ』のようなバトルヒロインものも展開されていった。一方のティーンズハートは90年代に入っても引き続き少女主人公の学園路線を展開し、徐々に勢いを失っていく。新たに新人賞を立ち上げるものの、レーベルを盛り返すには至らず低迷が続いた。

ホワイトハートの看板作品であり、のちに少女小説という枠を超えて多数の読者を獲得するのが、1992年にスタートした小野不由美（おのふゆみ）の『十二国記』である。物語の舞台は、十二の国が花文様のように並ぶ異世界。シリーズでは様々な国を舞台に政変や内乱、そして王の交代などが描かれ、十二国と日本という二つの世界の境界線を越えてしまった人々の苦難にも光が当てられる。中華ファンタジー小説の金字塔として知られる本作は、講談社文庫でも展開されたのちに新潮文庫へと移るなど、一般文芸に広がった少女小説の先駆け的作品でもあった。

ティーンズハートでは長い間新人賞は設けられていなかったが、ホワイトハートでは1994年から新人賞がスタートし、新人賞発のヒットシリーズも誕生した。男性バディが活躍する退魔ものとして人気を集めた『奇談』シリーズの樹野道流や、中世イギリスを舞台にした『足のない獅子』の駒崎優、ハードな境遇の中で生き抜く女性たちの姿を『アレクサンドロス伝奇』などの歴史小説の中であぶり出す榛名しおり、英国を舞台にしたオカルトファンタジーの『英国妖異譚』などで知られる篠原美季など、多彩な作家たちがこの新人賞からデビューしている。

小学館も90年代に入り、少女小説に参入する。1991年に創刊されたパレット文庫は、80年代のコバルト文庫やティーンズハートの路線を受け継ぐレーベルで、1993年創刊のキャンバス文庫はファンタジーブームを背景にしたレーベルと、それぞれ異なる特徴を持っていた。キャンバス文庫を代表するシリーズとしては、千年の時を生き続ける鬼コンビを主人公にした霜島ケイの『封殺鬼』が挙げられる。一方のパレット文庫は、1994年にあさぎり夕が発表したBL小説『泉&由鷹』シリーズをきっかけに、以後BL路線へと傾斜していった。ＢＬ小説については次節で詳しく取り上げたい。

90年代末には、新書館も少女小説レーベルを立ち上げる。１９９８年創刊のウィングス文庫は、ＳＦやファンタジーなどを中心にした個性的な作品群で知られており、コアな支持層に支えられたレーベルとして展開中だ。１９９９年にスタートした津守時生の『三千世界の鴉を殺し』は現在も続くレーベルの代表作で、美貌だがトラブルメーカーの大尉ルシファードを中心に、辺境の惑星で起こる様々な事件を描いたコミカルなミリタリーＳＦ小説である。ウィングス文庫では２０００年以降も、ロンドンを舞台にしたネオ・フェアリーテールを展開する縞田理理の『霧の日にはラノンが視える』や、謎めいた列車を舞台に壮大な冒険譚を描く嬉野君の『金星特急』など、魅力的なシリーズが生まれている。

90年代の少女小説ではファンタジーが一大人気ジャンルとして隆盛を誇ったが、ＢＬ（ボーイズラブ）と呼ばれる男性同士の恋愛をテーマにした作品も広がりをみせた。ホワイトハートでは創刊当初から『金銀』シリーズのような男性同士の恋愛を含んだファンタジー小説が出ていたが、１９９３年刊行の深沢梨絵の『本気で欲しけりゃモノにしろ！』以降は現実世界を舞台にしたＢＬ小説が増加する。ＢＬはホワイトハートにおける人気ジャンルの一つとして定着し、２０００年以降もその流れは継続していった。
集英社では、花衣沙久羅が１９９３年にスーパーファンタジー文庫で発表したＳＦ小説『少年たちのハイパーロマン』シリーズが、ＢＬものの先駆けと言えるだろう。その後はコバルト文庫でも男性同士の恋愛をモチーフにした小説が増え、１９９８年刊行の秋月こおの『夢見る眠り男』からＢＬという言葉が登場する。この年に初めて雑誌『Cobalt』でＢＬ特集が組まれるなど、ＢＬものがコバルト文庫で急増した。だがその後もＢＬ小説が定着したホワイトハートとは異なり、２０００年代半ば頃から起こる女性主人公小説への回帰の中で、コバルト文庫のＢＬ小説は徐々に姿を消していくのであった。

90年代を通じてファンタジー小説が人気を博していたが、90年代末には一部で学園小説への揺り戻しも生じる。１９９８年刊行の今野緒雪『マリア様がみてる』は、ミッション系のお嬢さま学校リリアン女学園高等部を舞台にした物語で、この時期の学園路線の代表格と言えるだろう。リリアン女学園高等部には、上級生と下級生がロザリオの授受を通じて姉妹の契りを結ぶ「スール」という独自の制度があり、深い絆で結ばれた女子学生たちの青春群像劇として男性ファンを多数獲得した。本作は２００４年から始まったテレビアニメでより一層ブレイクし、百合と呼ばれる女性同士の関係性を描いたジャンルの作品としても注目を集めていく。

90年代の少女小説は、ファンタジーブームをベースにしつつ、多様なジャンルが花開いた時期と位置づけられるだろう。80年代から続く学園ものやミステリー小説に加え、異世界ファンタジーや異能バトル小説、男性バディものやＢＬ小説、ヒストリカル小説など、多種多様なシリーズがこの時期に登場した。また、80〜90年代を通じて女子中高生読者に支えられた少女小説には、独自のファンコミュニティも生まれている。中でも雑誌『Cobalt』を通じて作家と愛読者の交流が盛んだったコバルト文庫では、サイン会やファンイベントなども開催されて、親密な読者共同体が形成されていた。だが２０００年代以降は少しずつ読者の高年齢化が進み、新レーベルも多数創刊されるなど、少女小説は新たなフェーズに入るのであった。

2000年代

no. 59

喬林知
〈まるマ〉
トイレから異世界へ！　抱腹絶倒魔王コメディ

初刊＝角川ティーンズルビー文庫
第1巻刊行年＝2000年
シリーズ巻数＝既刊17巻＋外伝5巻
書影＝角川ビーンズ文庫版

あらすじ　正義感の強い渋谷有利は、中学時代の同級生が不良に絡まれているのを助けようとして返り討ちに遭ってしまう。公衆トイレに連れ込まれて便器に顔を押し付けられた有利は、なぜかトイレに流され、辿り着いた先は異世界だった。そこは〝眞魔国〟と呼ばれる国で、有利は王の魂をもって生まれた第27代魔王であり、魔族と敵対する人間を滅ぼさねばならぬことを告げられる。普通の日本人高校生だった有利は、彼に心酔する臣下たちの態度や、文化・価値観の違いに戸惑う。けれども持ち前の正義感や平和主義を発揮し、人間との戦争を防ぐべく新米魔王として奮闘するのだった。

併読のススメ　ビーンズ文庫の少年主人公もので、〈まるマ〉同様テレビアニメ化もされた人気作として、結城光流の〈少年陰陽師〉も取り上げたい。本作は稀代の大陰陽師・安倍晴明の末の孫に生まれた13歳の昌浩と、彼の相棒で物の怪の〝もっくん〟がバディを組み、あやかし退治

ガイド うっかり魔王に就任してしまった渋谷有利を中心とした、ハイテンション・コメディ小説の〈まるマ〉シリーズ。喬林知のデビュー作『今日から㋮のつく自由業！』から始まる代表作であり、『今日から㋮王！』というタイトルでテレビアニメ化もされた人気シリーズは、ビーンズ文庫の前身であるティーンズルビーでスタートし、その後はビーンズ文庫に移籍して看板作品へと成長を遂げる。ごく平凡な日本人だった有利が、魔族の長である魔王として崇められる様をコミカルに描いたシリーズは、独特のギャグセンスで読者を物語世界に引き込んでいく。有利は万年補欠の野球少年で大の西武ライオンズファンであるため、作中にはやたらと野球まわりの小ネタが顔を出すのが楽しい。

有利は魔王として覚醒すると「上様モード」と呼ばれるトランス状態に突入し、時代劇口調の無双キャラと化す。普段の平和主義なお人好しぶりと、上様モードとのギャップが笑いを誘う。そんな有利を取り巻く臣下たちもユニークで、過剰なまでに彼を崇拝する教育係のギュンターや、よき理解者として支える前魔王次男のコンラッド、プライドが高いわがまま美少年の前魔王三男ヴォルフラムなどが登場する。ヴォルフラムに母親を侮辱された有利は彼にビンタを食らわせるが、頬を打つことはこの国の貴族の求婚行為であったため、二人は男同士ながら婚約者となってしまう。有利を取り巻く男性たちとの関係性も、本作の読みどころだ。

に挑む陰陽師小説。昌浩の才能は安倍家の中でも群を抜いているが、とある事情からその能力を封印されており、今はまだ半人前だ。昌浩を見守り時におちょくる祖父の晴明や、訳ありの過去を持つもっくん、見鬼の才があるゆえたびたび敵に狙われる藤原道長の娘・彰子などと関わりながら、昌浩は数々の事件に立ち向かい、成長を遂げていく。「あの晴明の孫!?」と言われるのを何よりも嫌う、負けず嫌いで正義感の強い昌浩は、時には大切な者たちを守るために自らの命を賭して戦おうとする。少年漫画のヒーローのような真っすぐさと熱さを兼ね備えた、魅力的な主人公が活躍するシリーズである。

no.60

Yoshi
〈Deep Love〉
ケータイ小説というジャンルの先駆作

あらすじ いつも無表情で冷めた雰囲気を漂わせる、17歳の女子高生アユ。とある理由で家に寄り付かないアユは、ヤリ友でホストの健二宅に入り浸りながら援助交際を続けている。ある日アユは公園で捨て犬を見つけ、これをきっかけに「おばあちゃん」と呼ぶ老女と親しくなった。だが薬に手を出した健二の金銭トラブルに巻き込まれ、おばあちゃんが貯めていた150万円を持ち出してしまう。それが義之という少年の心臓手術費用だと知ったアユは、お金を返すために居酒屋でバイトを始め、義之との間にも愛情が芽生えていく。しかしその時、アユの体はエイズに侵されていた――。

初刊＝スターツ出版
第1巻刊行年＝2002年
シリーズ巻数＝全3巻＋外伝1巻
書影＝講談社全面改訂版『Deep Love neo』

併読のススメ 少女小説レーベルの多くはケータイ小説とは距離を置くが、コバルト文庫は「セブンティーンケータイ小説グランプリ」を受賞したみゆの『通学電車 君と僕の部屋』を書籍化し、その後はケータイ小説を中心としたピンキー文庫を2011年に新創刊する。『通学電

ガイド 2000年代に巨大な市場を築き、女子中高生を中心にブームを生んだケータイ小説は、Yoshiが2000年に携帯電話IP接続サービス「iモード」上のサイトで連載した〈Deep Love〉から始まった。元予備校講師のYoshiは、女子高生への取材をもとに援助交際や薬物、エイズなどの社会問題を取り入れた小説を執筆する。本作は自費出版で書籍化ののち、2002年にスターツ出版から『Deep Love 完全版 第1部 アユの物語』として商業出版され、累計部数200万部を超えるヒットとなった。

〈Deep Love〉は過激な性描写や、従来の小説では常識外れとされる形式（横書きや独特の三点リーダの使用、地の文に作者が登場して自説を語り出すなど）が取り上げられることが多いが、ここでは「おばあちゃん」というキャラクターを通じて語られる戦争体験に注目したい。空襲で亡くなったおばあちゃんの妹や、特攻で散った一日だけの夫のことを語らせることで、Yoshiは戦争の悲惨さを読者に伝えようとしているのだ。読者より年上の大人が、小説を通じて若年層を教え導く様は、近代以降の少女小説に散見されてきたいわば古典的な構図でもある。なお2005年頃から起きる第二次ケータイ小説ブームは、Chacoの『天使がくれたもの』や美嘉の『恋空』のように、若い女性が実話と謳って執筆した作品群が中心となった。

車』は高校生のユウナと、彼女が片思い中のハルを中心としたハートフルラブストーリーで、ユウナにしか見えないもうひとりのハルが部屋に出現するというファンタジー的な設定が特徴だ。またピンキー文庫から発売された、くらゆいあゆの『駅彼 それでも、好き。』は、2014年の集英社文庫のキャンペーン「ナツイチ」に選ばれた作品。片思い中の相手を自転車で轢いてしまい、治るまで限定で彼女を演じるという契約から始まる恋物語だ。2016年を最後に、ピンキー文庫からは新刊は出ておらず、メイン作家だったみゆは集英社みらい文庫、くらゆいあゆは集英社オレンジ文庫へと活動の場を移した。

no.61

令丈ヒロ子〈若おかみは小学生！〉

おっこの体当たり女将修業

あらすじ 交通事故で両親を亡くした小学6年生の関織子（おっこ）は、花の湯温泉で小さな旅館を切り盛りする祖母・峰子のもとに引き取られた。自室で一人声をころして泣いているところに、旅館に住み着いているユーレイ少年のウリ坊が現れる。ウリ坊に背中を押されて、つい皆がいる前で旅館を継ぐと宣言してしまったおっこ。翌日から若女将になるための修業を始めるが、仕事は想像よりもずっと大変で、やる気だけが空回りして失敗を繰り返してしまう。おっこはそれでもくじけず、周りから若女将として認めてもらうため、花の湯温泉の新名物を作るお菓子コンテストに参加する。

併読のススメ 青い鳥文庫で刊行中の〈探偵チームKZ事件ノート〉（原作：藤本ひとみ／文：住滝良）は、藤本ひとみがコバルト文庫で三冊発表後に中断したシリーズで、児童文庫に移籍&リメイクされて30巻を超える人気作となった。小学6年生の彩は塾でエリート集団「KZ」の少年四

初刊＝講談社青い鳥文庫
第1巻刊行年＝2003年
シリーズ巻数＝全20巻＋短編集4巻

ガイド 児童文庫の歴史は1950年創刊の岩波少年文庫まで遡る。初期の児童文庫は名作を子ども向けにリライトした作品を中心に展開していたが、90年代以降は書き下ろしが人気を博し、大きな市場を築く。児童文庫と少女小説は対象とする読者層が異なるが、作家側には親和性が見られ、小林深雪や名木田恵子、併読で取り上げる倉橋燿子など、少女小説で活躍後に児童文庫へと足場を移して活動を続ける作家も少なくない。近年の作家ではオレンジ文庫で京都ものを手掛ける相川真は集英社みらい文庫の新人賞出身で、みらい文庫で展開中の〈青星学園☆チームＥＹＥ－Ｓの事件ノート〉がヒット。またビーンズ文庫の新人賞出身の天川栄人も児童文庫で仕事を広げている作家の一人である。

青い鳥文庫を代表するシリーズのひとつである令丈ヒロ子の〈若おかみは小学生！〉は、2018年にテレビアニメ化や映画化され、児童文庫の枠を超えて幅広いファン層から人気を博した作品。小学生ながら若女将修業で奮闘するというお仕事要素に加え、豪華な旅館の跡取り娘・真月とのライバル関係や友情、幽霊ウリ坊の血縁者であるウリケンとのロマンス、さらには幽霊や魔界などのファンタジー要素も絡みながら物語は進んでいく。様々な困難に体当たりでぶつかっていくおっこの姿は、諦めずに前に進み続ける勇気の尊さを教えてくれる。少女小説読者にも手に取ってほしい、児童文庫の名作だ。

人組と知り合い、彼らと共に探偵チームを結成し、警察でも解決できないような事件の謎を解明する。藤本ひとみ得意のハイスペックイケメンが集う逆ハーレム展開×本格ミステリーを児童向けの作風で展開するシリーズは、子どもたちの心を摑み大ヒット中だ。またティーンズハート時代に大河小説〈風を道しるべに…〉で人気を博した倉橋燿子は、青い鳥文庫で〈パセリ伝説〉を発表。物語は〈風を道しるべに…〉を思わせる、両親を失った少女パセリが北海道の祖父母のもとで暮らし始めるという設定で始まるが、地球とラ・メール星、二つの星を舞台にした壮大なファンタジーへと発展する。

no.62

雪乃紗衣〈彩雲国物語〉

自らの手で未来を切り開く少女の立身出世譚

あらすじ

秀麗は彩雲国の名門・紅家のお嬢さまだが、世渡り下手な父のせいで貧乏生活を余儀なくされる苦労人。様々な仕事で家計を支える日々の中、思わぬ依頼が転がり込んできた。政務に興味を示さず、おまけに男色家とも噂される国王・紫劉輝。そんな若き王の身を案じて、老臣の霄太師が教養と行動力に富んだ秀麗を王の教育係につけようと考えたのだ。提示された高額の報酬に釣られて、秀麗は貴妃という名目で後宮に入る。異母兄たちが王位争いで共倒れした結果、玉座を手にした末の公子劉輝と、聡明で前向きな秀麗。この出会いが彩雲国の運命を揺り動かすことになる。

初刊＝角川ビーンズ文庫
第1巻刊行年＝2003年
シリーズ巻数＝全24巻＋外伝4巻
書影＝角川文庫版

併読のススメ

〈彩雲国物語〉同様、ビーンズ文庫から出版ののち角川文庫から新装版が刊行されたシリーズとして、榎田ユウリの〈宮廷神官物語〉が挙げられる。物語の舞台は、朝鮮王朝を下敷きにした架空の国・麗虎国。美貌の若き宮廷神官・鶏冠は王命を受け、額に輝く第三の

ガイド 第1回ビーンズ小説賞奨励賞・読者賞を受賞した〈彩雲国物語〉は、雪乃紗衣のデビュー作から続くシリーズ。テレビアニメ化もされたレーベルの看板作品は、架空の国を舞台にした中華風歴史ファンタジー小説だ。貧乏だが聡明なお嬢さま・秀麗と、とある事情でダメ王様を演じていた劉輝の後宮陰謀ロマンスとして物語はスタートするが、第2巻以降大きく浮上するのが女性の社会進出というテーマである。男性しか国試を受けられない彩雲国で、初の女性官吏になる夢を抱く秀麗は、自らの未来を切り開くために奮闘する。彼女の熱い思いは劉輝を動かし、女性の参加が初めて認められた国試に挑戦した秀麗は、優秀な成績で合格を果たす。だが官吏としての第一歩を踏み出した彼女に対する風当たりは厳しく、女だからという侮蔑や偏見にさらされる。そんな秀麗の男社会の中での戦いを描いた第3巻『花は紫宮に咲く』は、シリーズの中でもとくに心を打つ一冊だ。目指すもののために顔をあげて、屈することなく進んでいく秀麗の姿は私たちを励まし、背中を押してくれる。極上のエンターテインメント小説であるだけでなく、女性たちをエンパワーする力に満ちた作品である。

秀麗を取り巻く多彩かつ個性豊かなキャラクターも、本作の大きな魅力となっている。バラエティに富んだイケメンのみならず、年齢を重ねたおじさんキャラクターも多数登場するなど、個性的な人物像が物語に深みを与えている。

目で人の悪しき心を見抜くという、伝説の「慧眼児」候補の子どもを迎えに行った。だが彼が探し求めていた天青は、奇跡の少年とは思えない礼儀知らずの悪童で……。やんちゃで真っすぐな心を持つ天青と、沈着冷静にみえて意外と人間くさい一面がある鶏冠、そして天青の護衛で卓越した剣の腕を持つ曹鉄。生まれも育ちも異なる三人が、大神官の選定や王位継承問題など、国にまつわる大きな陰謀に巻き込まれていく波乱万丈のアジアンファンタジーである。多くの魅力的なキャラクターとテンポのよさでぐいぐいと読ませていく本作だが、個人的一押しキャラは、自由で快活な性格をした男装の姫君だ。

no.63

〈伯爵と妖精〉

谷瑞恵

妖精と悪党ヒーローを描いたヴィクトリアンロマン

あらすじ

時は19世紀中頃のイギリス。妖精の存在がお伽噺となった時代に彼らの姿が見えることを公言し、妖精がらみのトラブルを解決する妖精博士の看板を掲げるリディアは変わり者扱いされていた。ある時、リディアはロンドンの父を訪ねようとして事件に巻き込まれ、伯爵を名乗る謎の美青年エドガーに助けられる。エドガーは妖精の国に領土を持つという青騎士伯爵の宝剣を探しており、妖精に詳しいリディアは協力することに。だが行動を共にするうちに、自分を甘い言葉で口説き続ける胡散臭い男が、巷を騒がす凶悪強盗事件の犯人に酷似していることに気づく……。

初刊＝集英社コバルト文庫
第1巻刊行年＝2004年
シリーズ巻数＝全32巻

併読のススメ

コバルト文庫のヴィクトリア朝ものでは、青木祐子の〈ヴィクトリアン・ローズ・テーラー〉は外せない（詳細は本書218ページを参照）。また久賀理世の〈英国マザーグース物語〉は、アッシュフォード子爵家のセシルがとある目的のため、結婚までの一年間という期

ガイド 2000年代のコバルト文庫を代表する人気作のひとつで、テレビアニメ化もされた〈伯爵と妖精〉。妖精の見えるリディアと、訳あり伯爵エドガーを中心としたシリーズは、コバルト文庫におけるヴィクトリア朝ブームを切り開いた。貴族や妖精をモチーフにした物語は華やかだが、随所でダークな設定も効いており、甘やかなロマンスには止(とど)まらない奥行きを見せる。深い闇を抱えたエドガーは平気で嘘をつき人を利用する悪党だが、お人好しなリディアは彼の心の奥底に見え隠れする寂しさに気づき、見捨てることができない。甘い口説き文句を繰り出すエドガーと、真意の見えない男を警戒しながらそれでも信じようとするリディアのスリリングな攻防から始まる二人の関係性と、その後の変化が楽しいシリーズだ。言葉を喋る英国紳士な妖精猫のニコや、エドガーと辛い時代を共に過ごした部下のアーミンとレイヴン姉弟など、脇(わき)を固めるキャラクターも魅力的。巻を重ねる中で恋愛要素も増えていくので、少女小説らしいロマンスに浸りたい人にもお薦めしたい。

他の谷作品では、〈花咲く丘の小さな貴婦人(リトル・レディ)〉もヴィクトリア朝が舞台となっている。イギリス人と日本人の間に生まれたエリカが、両親を失って祖母を頼りにイギリスに渡り、男子校の施設を間借りする風変わりな寄宿制の女子校に通う物語は、寄宿舎もの好きのツボを突いた隠れた佳作である。

限つきで男装し、大衆新聞紙の見習い記者として働く物語。1887年当時のロンドンの空気を感じるリアリティに溢(あふ)れた描写や、マザーグースを題材にしたライトミステリーが楽しいシリーズだ。久賀は集英社オレンジ文庫でも〈倫敦(ロンドン)千夜一夜物語〉というヴィクトリアンビブリオミステリーを手掛けている。とある事件に巻き込まれたアルフレッドとサラの兄妹は、侯爵家という身分を隠して貸本屋「千夜一夜(アルフ・ライラ・ワ・ライラ)」を営んでいた。名作文学をモチーフにした事件の数々や、兄妹の運命を変えた陰惨な殺人事件に潜む闇、そしてどこか歪(いびつ)な親密さを漂(ただよ)わせる二人の姿など、シリーズに漂う独特のほの暗さが魅力的な作品である。

no.64

桜庭一樹『砂糖菓子の弾丸は撃ちぬけない A Lollypop or A Bullet』

ライトノベルから一般文芸への越境作

あらすじ 鳥取の片田舎で暮らす中学生の山田なぎさは、家庭環境ゆえにリアリストに育ち、お金という〝実弾〟を手にするために早く大人になりたいと願っている。ある時、彼女の学校に芸能人の父を持つ海野藻屑という少女が東京から転校してきた。自分のことを人魚だと言い張る藻屑は、奇妙な言動で周囲を困惑させ、無関心ななぎさをなぜか気に入りつきまとう。〝実弾〟にしか興味がないなぎさと、空想的な〝砂糖菓子の弾丸〟をのべつまくなしに撃ち続ける藻屑は、少しずつ親しくなっていく。だが藻屑は日々父親から暴力を受けており、二人の友情は悲劇的な結末を迎える。

初刊＝富士見ミステリー文庫
刊行年＝2004年
書影＝角川文庫版

併読のススメ ライトノベルから一般文芸へと越境した少女小説的な読み口のある作品として、高殿円の〈カーリー〉を取り上げたい。本作はファミ通文庫で第2巻まで刊行されるも打ち切りとなり、その後講談社文庫で復刊&続巻も発売という、奇跡の復活を遂げたシリーズだ。時

ガイド 2000年代に入ると、ライトノベル出身の作家たちの一般文芸への〝越境〟が注目を集めるようになる。第1回ファミ通エンタテインメント大賞小説部門佳作を受賞してデビューし、2008年に『私の男』で直木賞を受賞した桜庭一樹もその一人だった。富士見ミステリー文庫発の『砂糖菓子の弾丸は撃ちぬけない』は2007年に富士見書房より単行本、2009年には角川文庫版が発売されるなど一般文芸的な展開をみせ、幅広い読者と高い評価を獲得した桜庭の代表作のひとつである。

本作で描かれるのは、残酷な現実に対してそれぞれのやり方で戦いを挑む、非力な中学生たち。経済的に恵まれず、兄が引きこもりを続ける母子家庭で育ったなぎさは、中学卒業後は自衛官になって自活することを心の支えにしながら生きている。そんななぎさの前に現れた藻屑は恵まれた境遇に身を置き、彼女が繰り出す嘘の言葉の数々になぎさは苛立(いらだ)つのだった。だが物語が進むにつれて、嘘まみれに見えた藻屑の言葉の奥に隠された、悲痛な叫びが浮き彫りとなる。冒頭で藻屑が辿(たど)る残酷な運命が示されるという仕掛けも秀逸で、思春期の閉塞感や少女たちの絶望をヒリヒリとしたトーンで綴(つづ)った青春小説の傑作だ。本作に限らず、桜庭が手掛ける少女主人公の小説は、端々に少女小説的なエッセンスを感じさせる。少女小説を考えるうえでも、桜庭作品が示唆するものは多いはずだ。

は第二次世界大戦前夜のインド。ロンドン出身のシャーロットは、駐在英国人の子女が通うオルガ女学院に転入し、カーリーという名の神秘的な少女と出会う。インドで死亡した母にまつわる真相を知りたいシャーロットと、人には言えない秘密を抱えるカーリー。二人の激動の運命を描いた物語は、バーネットの『小公女』などの古典的少女小説のエッセンスを取り入れながら、宗教対立や独立の火種が燻(くすぶ)るインドをめぐる壮大な歴史ドラマを展開し、そこに秘密情報部などのスパイ要素も絡(から)んでいく。少女小説的な寄宿舎物語から壮大な歴史スパイものへと変貌(へんぼう)を遂げる、極上のエンターテインメント小説だ。

no. 65

高岡ミズミ〈VIP〉

ホワイトハートを代表する人気BL作品

初刊＝講談社X文庫ホワイトハート
第1巻刊行年＝2005年
シリーズ巻数＝全10巻＋2期全10巻＋3期既刊1巻

あらすじ 17歳の家出少年・柚木和孝は、雨の中で久遠彰允という男に拾われる。久遠の家で暮らし始めた和孝は、彼の素性を知らないままに男の味を覚えさせられていった。だが久遠には常に女の影がつきまとい、おまけにヤクザだと知った和孝は逃げ出してしまう。それから7年が経ち、和孝は高級会員制クラブBLUE MOON（BM）のマネージャーになった。けれども久遠のことが忘れられず、雨の日になるといつも思い出すほど引きずっている。ある日BMに木島組組長であり本家・不動清和会の若頭補佐となった久遠が現れ、二人は宿命の再会を果たすのだった……。

併読のススメ 樹生かなめの〈龍&Dr.〉も、ホワイトハートで人気のヤクザBL。本作は二見書房シャレード文庫でスタートし、第3巻にあたる『龍の恋、Dr.の愛』からホワイトハートに移籍して40巻以上続く長編となった。主人公は明和病院に勤める美貌の内科医・氷川諒一。彼の10

ガイド 90年代の少女小説で花開いたBLは、2000年代に入るとレーベル間で刊行状況に差が生まれていく。2000年以降に創刊された新レーベルはBLをラインナップには取り入れず、コバルト文庫でも刊行点数がだんだんと減り、姫嫁ものの隆盛期にはほとんど姿を消した（だが2019年に新刊がeコバルト文庫電子オリジナルのみになると再びBLがラインナップに登場する）。一方、ホワイトハートではBLがメインジャンルとして定着し、新刊の大半がBL小説という状況が長らく続いている。高岡ミズミの〈VIP〉や樹生かなめの〈龍&Dr.〉など、現在のホワイトハートを代表する人気作はいずれもBLものだ。

〈VIP〉の攻めの久遠は広域指定暴力団不動清和会の若頭補佐で、慶応大学経済学部出身のインテリヤクザ。受けの和孝は選ばれた者だけが入会を許される高級会員制クラブのマネージャーで、寡黙でカリスマ性に溢れた久遠と意地っぱりで素直になれない和孝を中心に、BMや組をめぐる様々な事件と二人の揺れ動く関係が描かれていく。細やかな心理描写と濃厚なラブシーン、脇を固めるキャラクターも含めた魅力的な人物造形など、BLの醍醐味を堪能できるシリーズだ。第一部の完結後は、イタリアンレストランのオーナーシェフに転身した和孝を描くセカンドシーズンが始まり、現在は電子オリジナル版を中心に展開中である。

歳年下の恋人は、弱冠19歳ながら指定暴力団・眞鍋組の二代目で昇り龍を背負う橘高清和だ。二人の出会いは清和が赤ん坊の頃まで遡る。血の繋がらない養父母のもとで孤独に暮らしていた氷川にとって、幼い清和の存在が心の拠り所でもあった。再会後に二人は恋人となり激しく愛し合うが、氷川は清和がヤクザであることが心配で更生させようとする――。清和は幼い頃からずっと氷川に恋していたが、氷川は清和のおむつを替えていたため、恋人になってからも世話焼きママぶりが顔を出すのが笑いを誘う。独特のギャグセンスが味わい深い、未成年ヤクザ×年上エリート医師のBL作品だ。

no.66

紅玉いづき『ミミズクと夜の王』

奴隷の少女と魔物の絶望と再生の物語

初刊＝電撃文庫
刊行年＝2007年
シリーズ巻数＝全1巻＋続編1巻＋外伝1巻（電書）
書影＝メディアワークス文庫完全版

あらすじ 長い旅を経て、魔物が棲むという夜の森に辿り着いた少女・ミミズク。両腕と両足を鎖で繋がれ、自身を家畜と称する少女の願いは、魔物に喰われて死ぬことだった。偶然にも魔物たちを統べる夜の王と出会い、美貌の王に向かってその身を差し出したものの、人間を嫌う夜の王は彼女を食べようとはしてくれない。そのまま森に居ついたミミズクは懲りずに夜の王のもとへと足を運び、夜の王も不器用な形ではあるがミミズクに対して優しさを示す。奇妙な形で二人が交流を続ける一方、森の外では聖剣に選ばれた聖騎士を擁する王国が魔王討伐の準備を進めていた──。

併読のススメ 男性を主たるターゲットにした少年向けライトノベル作品の中にも、少女小説好きの心に響く作品は少なくない。野村美月の〈文学少女〉シリーズ（ファミ通文庫）は、この世にあるありとあらゆる物語を愛し、食べ物のように本のページを引きちぎってはむしゃむしゃ食べ

ガイド 『ミミズクと夜の王』は、第13回電撃小説大賞の大賞を受賞した紅玉いづきのデビュー作。死にたがりの奴隷の少女と、人間嫌いの魔物の交流を描いた絶望と再生の物語は、お伽噺を思わせる幻想的な磯野宏夫のカバーも相まって鮮烈な印象を放った。時を経ても色褪せることのない強度を持つ物語は、刊行から14年後に白泉社でコミカライズ（作画は鈴木ゆう）、また紅玉いづきデビュー15周年にあわせて『ミミズクと夜の王 完全版』がメディアワークス文庫から発売されるなど、装いを新たにしながら読者を魅了し続けている。家畜同然に扱われてきたミミズクが、夜の王や魔物たち、そして人間の優しさに触れながら大切なものを見出していく物語は、痛々しくも温かい。心の中に愛おしさが残る、不朽の名作である。完全版には、これまで電子版のみが発売されていた外伝『鳥籠巫女と聖剣の騎士』が収録され、また姉妹作の『毒吐姫と星の石』にもミミズクたちは登場する。

紅玉の他作品では、放送部に所属する四人の女子高生を描いた連作集『ガーデン・ロスト』（メディアワークス文庫）も、少女小説好きにお薦め。また近年紅玉らを中心に立ち上げられたサークル「少女文学館」は、少女小説をテーマにした同人誌『少女文学』を発行し、毎号さまざまな商業作家が参加している。少女小説への愛とリスペクトが溢れた活動としてこちらも併せて紹介したい。

る文芸部部長の天野遠子と、彼女の後輩で過去に天才覆面美少女作家として一世を風靡した少年・井上心葉がタッグを組んで謎を解く、古今東西の文学作品をモチーフにしたビブリオミステリー。名作文学を下敷きにした事件の数々と魅力的なキャラクターが織りなすドラマが心を打つ、野村美月の出世作だ。作中で取り上げられる名作文学を文字通り〝味わう〟遠子。その〝食事〟場面の魅力的な描写は、翻訳少女小説の伝統に通じるものがある。同シリーズに登場する小説をまとめて遠子の読み口と共に紹介したファンブック『〝文学少女〟のグルメな読書ガイド』は、なんとも美味しい一冊だ。

no. 67

清家未森〈身代わり伯爵〉

男装少女が魅せる王道ラブファンタジー

初刊＝角川ビーンズ文庫
第1巻刊行年＝2007年
シリーズ巻数＝全23巻＋短編集4巻

あらすじ パン屋の看板娘として働く少女ミレーユ。彼女の双子の兄フレッドは、幼い頃に隣国の貴族の養子になり、二人は離れて暮らしていた。ある時、フレッドが王太子の婚約者と駆け落ちしてしまい、外見がそっくりなミレーユが男装してフレッドの身代わりを演じることになった。兄の友人かつ副官の青年リヒャルトと共に、ベルンハルト伯爵として王宮へ出仕した彼女は、一癖も二癖もある貴族や王族の姿に仰天する。ミレーユは持ち前の負けん気を発揮して、フレッドの不在を誤魔化そうと奮闘するが、今回の駆け落ち騒動の裏には何やら陰謀が隠されているようで……。

併読のススメ 各レーベルから様々な男装ものが刊行されているが、同じ角川ビーンズ文庫の作品として、伊藤たつきの平安風ファンタジー〈白桜四神〉を紹介したい。貧乏貴族の娘の里桜は、お人好しの父と病気の姉と共に貧しくも幸せに暮らしていた。だが亡き母が名門・白虎

ガイド 〈身代わり伯爵〉シリーズは、第4回角川ビーンズ小説大賞の読者賞を受賞した『身代わり伯爵の冒険』から始まる、清家未森の代表作。元気で前向きな少女ミレーユを中心とした愛と笑いの王宮ロマンスは、スタンダードな設定を十二分に活かしたストーリーと、個性豊かなキャラクターが魅力のシリーズだ。主人公のミレーユは男前な性格と乙女心を兼ね備えた人物で、時に迷いながらも体当たりで難題に立ち向かう。他にも妹を振り回す腹黒ナルシストのフレッドや、天然の殺し文句を繰り出すイケメン護衛リヒャルトを筆頭に、娘を溺愛する気弱でマゾっけのある実父、男装したミレーユに迫る謎の青年ジーク、「筋肉集団」と呼ばれる近衛騎士団、ツンデレ王女や着ぐるみ系王子など、愛すべき奇人変人が多数登場する。さくさくと読み進められるテンポのよさと、ツボを押さえたラブコメが楽しい、少女小説の王道をゆく物語だ。

ミレーユとリヒャルトの恋の行方も読みどころで、全27巻というボリュームで二人の関係性が丁寧に描かれる。シリーズの途中でリヒャルトが背負う過去が明かされ、二人の立場は〝パン屋の娘と彼女を護衛する騎士〟から大きく変わってしまう。思いが通じ合ってからも、「花嫁修業編」「婚前旅行編」「結婚行進曲編」と波乱万丈な展開が続くので、ぜひ最後まで見届けてほしい。柴田五十鈴作画によるコミカライズの他、児童向けの角川つばさ文庫からも三冊刊行されている。

家出身だと知らされ、姉の薬と引き換えに、二年間限定で白虎家の跡取り・白桜を演じることになった。青龍、朱雀、玄武、白虎を祀る陽真乙国では、この四家から次の帝が選ばれる。女だとバレれば一族追放の厳しい状況の中、里桜は持ち前の度胸を発揮して、帝候補の跡取りたちと生活を始めるが……。〝氷の貴公子〟と呼ばれるツンデレな青龍家・青丞、医者としての腕は一流だが遊び人な朱雀家・朱呪、寡黙な武人で剣の腕が立つ玄武家・鵬玄と、タイプの異なるイケメンが登場する逆ハーレム型の物語で、ストーリーには男装ものの鉄板ネタがふんだんに登場する。徹底したベタさが小気味よいシリーズだ。

no. 68

梨沙
〈華鬼〉
現代に生きる鬼とその花嫁の学園伝奇ロマン

初刊＝イースト・プレス レガロシリーズ
第1巻刊行年＝2007年
シリーズ巻数＝全4巻＋番外編1巻
書影＝講談社文庫版（全4巻）

あらすじ

〝鬼の花嫁〟の刻印を刻まれた朝霧神無は、その印ゆえに受難に遭い、死を望みながら生きてきた。16歳の誕生日、彼女は鬼の頭・木藤華鬼の花嫁であることを知らされ、鬼たちが暮らす私立鬼ヶ里高等学校に迎え入れられる。鬼の花嫁は相手に一途に愛され、庇護翼と呼ばれる護衛の守りを受けながら育つ。だが華鬼は神無を16年間放置し、花嫁として迎えた後も彼女に憎悪と殺意を向け続けるのだった。華鬼の態度に憤った庇護翼たちは、神無を守るために主に反抗し、彼女に異例の求愛を行う。鬼の世界の権力争いや、女たちの嫉妬が絡み、神無の身にはさらなる危険が迫った。

併読のススメ 個人サイトでウェブ小説を発表後、少女小説レーベルで活躍した作家として糸森環も挙げられる。サイト「27時09分の地図」にてオリジナル小説を公開し、2012年にウェブ小説を書籍化した『花術師』（双葉社）でデビューした糸森は、2012年に角川ビーンズ文庫

ガイド 現代に生きる鬼の末裔たちを題材に、鬼の刻印や庇護翼などの独自設定を生み出し、鬼とその花嫁の数奇な運命と絆を描く学園恋愛伝奇小説の〈華鬼〉。鬼の刻印を持つゆえに男からは欲望を、女からは嫉妬を向けられていた不幸な神無は、鬼たちから献身的な愛情を捧げられる中で、少しずつ感情を取り戻していく。様々なタイプの鬼が神無を取り巻き、彼女に求愛する逆ハーレム型の物語が展開するが、中でも華鬼は特異な存在感を放つ。たびたび神無に危害を加える、冷酷な鬼として登場する華鬼。しかし、神無はやがて彼の殺意の裏に隠されている苦悩や孤独に気づく。初印象こそ最悪だが、次第に変わっていく華鬼の姿を見届けてほしい。

2007年に創刊されたイースト・プレスのレガロシリーズは、ケータイ小説ではないウェブ小説の書籍化を進めた初めてのレーベルとして知られている。創刊ラインナップの〈華鬼〉は、梨沙が2004年に開設したオリジナル小説サイト「小部屋の小窓」で連載ののち、書籍化されたウェブ小説だ。梨沙は一迅社文庫アイリスで〈海上のミスティア〉を刊行し、以後も様々な少女小説レーベルで活躍を続けている。梨沙は少女小説レーベルにおけるネット出身作家の先駆けであり、小説投稿サイトの「小説家になろう」の定着と共に、ウェブ小説での作家デビューという流れが加速していった。

で書き下ろしの〈花神遊戯伝〉を発表し、以後は少女小説レーベルを中心に活躍を続けている。〈花神遊戯伝〉はごく普通の高校生だった知夏が、古代風の異世界・蒸槻国に召喚されて巫女となり、美形剣士たちと共に国を護る物語。あらすじだけ書くと典型的な異世界召喚もののように見えるが、ストーリーはハードで、残酷かつ無慈悲な展開が押し寄せる。知夏は幾度も信じていた人に裏切られ、絶望の淵に沈みながらも這い上がり、戦い続けるのだ。他にも〈かくりよ神獣紀〉（角川ビーンズ文庫）や、〈お狐様の異類婚姻譚〉（一迅社文庫アイリス）など、和風ファンタジーに魅力的なシリーズが多い。

no.69

小野上明夜（おのがみめいや）〈死神姫の再婚（しにがみひめのさいこん）〉

再婚から始まる夫婦のラブロマンス

あらすじ　没落した名門貴族フェイトリン家の一人娘であるアリシアは、婚儀の最中に花婿（はなむこ）が暗殺者の手にかかり死亡したことが発端となり、「死神姫」の異名で呼ばれるようになった。喪が明けた一年後、後見人の叔父（おじ）がまとめてきた再婚相手は、成り上がり貴族の強公爵（こうしゃく）カシュヴァーン・ライセン。嫁（とつ）いだ先の屋敷では、新しい夫や使用人たちから粗雑な扱いを受けるものの、いささか常識から外れたアリシアはそんな境遇を喜んで受け入れた。ライセン家には何やら伏せられた事情が色々とあるらしく、アリシアは持ち前の好奇心と物怖（ものお）じしない性格を発揮して首を突っ込み始めるが——。

初刊＝ビーズログ文庫（B's-LOG文庫）
第1巻刊行年＝2007年
シリーズ巻数＝全20巻＋短編集2巻

併読のススメ　ビーズログ文庫の夫婦関係から始まる物語としては、山咲黒（やまさきくろ）の〈レイデ夫婦のなれそめ〉を紹介したい。嫁ぎ先で従順な淑女（しゅくじょ）を演じている妻リナレーアは、幼い頃から冒険家に憧（あこが）れ、女冒険家フェランﾞ＝ギルド名義で密かに大衆紙にコラムを執筆していた。一方、優し

ガイド 2006年、エンターブレインはビーズログ文庫（創刊当初の表記はB's-LOG文庫）という新しい少女小説レーベルを創刊した。小野上明夜はビーズログ文庫の新人賞である「えんため大賞ガールズノベルズ部門」出身の作家で、デビュー作から始まる〈死神姫の再婚〉シリーズは初期のビーズログ文庫を代表する人気作となった。本作は、2000年代後半から急増した「姫嫁もの」の先駆け的作品という意味でも、少女小説史の中で重要な意味を持つ。少女小説ではもともと主人公が姫という設定の物語は少なくなかったが、この頃からヒロインが嫁であり、政略結婚からスタートする夫婦の愛を描く物語が増えていった。

14歳で未亡人となった没落貴族のアリシアと、成り上がり貴族で暴君と悪名が高い強公爵カシュヴァーンの、再婚から始まるラブコメを描いた〈死神姫の再婚〉。主人公のアリシアはオカルト好きの風変わりな少女で、天然ゆえにカシュヴァーンの皮肉にも、彼の愛人を自称するメイドの嫌がらせにも動じない。自分がカシュヴァーンに金で買われたと知ると、「ライセン様、いいえ旦那様、お買い上げありがとうございます！」と自分の境遇を喜ぶなど、彼女の飄々としてズレた性格は周囲を戸惑わせるのだった。愛のない結婚で始まったカシュヴァーンとの、少しずつ進展する関係性も読みどころ。ビーズログ文庫らしいコミカルな作風を楽しめるシリーズである。

くて紳士的だと評判の夫は……と、本当の姿を隠して結婚した伯爵夫妻が、互いの秘密を知るうちに改めて恋に落ちる様を描いたシリーズである。政略結婚をベースにしたよりシリアスな物語では、汐邑雛の〈なんちゃってシンデレラ〉がお薦め。33歳のパティシエ和泉麻耶が、異世界の12歳の王太子妃アルティリエに転生し、王宮で渦巻く様々な陰謀に翻弄されながらも15歳年上の夫で王太子殿下ナディルとの関係性を深めていく物語だ。緻密に作り込んだ異世界設定と、緊迫感溢れるサスペンス展開が魅力的なシリーズで、そこに年の差ラブと夫の胃袋を摑む飯テロ描写がほどよい甘さを加えている。

no. 70

ナンシー・スプリンガー〈エノーラ・ホームズの事件簿〉

ホームズの妹を主人公にしたパスティーシュ

刊行年（原著第1作）＝2006年
初邦訳＝2007年～（杉田七重訳）
シリーズ巻数＝全6作
書影＝ルルル文庫版（既刊5作）

あらすじ 14歳の誕生日の夜、エノーラの母・ユードリアが突如屋敷から姿を消した。ロンドンに住む二人の兄、マイクロフトとシャーロックを呼び寄せるも、10年ぶりに再会を果たした兄と母の間には確執があることが判明。おまけにマイクロフトはエノーラを寄宿学校に入れようとする。暗号好きなユードリアが残したメッセージから隠し資産を発見したエノーラは、母親を捜すために屋敷を飛び出し、大人の女性に変装してロンドンへ向かった。気の詰まる貴族教育から抜け出して自由を手に入れた彼女は、名探偵の兄シャーロックゆずりの推理力を発揮し、数々の事件に関わっていく。

併読のススメ ルルル文庫の創刊ラインナップに含まれていた『パイレーティカ 女海賊アートの冒険』（築地誠子訳）は、イギリスの女性作家タニス・リーによる大航海時代の英国を舞台にしたパラレルファンタジー。「女海賊モリーの娘」のアートが、亡き母と同じように海賊になろ

ガイド 「ファンタジック、ロマンチック、ドラマチック」をコンセプトに創刊されたルルル文庫の初期ラインナップには、海外翻訳小説が含まれていた。少女小説レーベルにおける翻訳小説の流れは、１９７０年代から80年代のコバルト文庫で一部見られた程度でそれほど多くはない。だがルルル文庫は、翻訳されにくい海外のヤングアダルトやジュブナイルを積極的に展開しようとした。残念ながらこの試みは数年で途絶するが、目が利いたラインナップと高い志は、ルルル文庫の功績のひとつとして高く評価したい。

〈エノーラ・ホームズの事件簿〉は、シャーロック・ホームズに年の離れた妹がいたという設定のホームズパスティーシュ。細やかに描きこまれたヴィクトリア文化のディテールから当時の光景がいきいきと立ち上がり、またコルセットやバッスルなど女性の装いに関するアイテムがミステリー要素と結びついているのも興味深い。女性蔑視が根強く残る時代の中、エノーラが抑圧から軽やかに逃げ出して自らの手で未来を選び取る姿や、二人の兄との間でみせるスリリングな駆け引きは痛快だ。原作全6巻のうち第5巻までしか出ておらず、最後の一冊は未邦訳。〈エノーラ・ホームズの事件簿〉は２０２０年にNetflixで配信されるなど、近年注目を集めており、ルルル文庫の先見の明を改めて称えると共に、何かしらの形での復刊に期待を寄せたい。

うとかつての仲間を探し出すが、母はあくまで女優で、アートの記憶にある姿は舞台で演じた芝居だったと判明。真実に打ちのめされながらも、宝島の地図を手に入れたアートは本物の海賊となることを決意。夢を現実に変えていくアートの姿とその成長を描いた、心躍る冒険譚である。他にも、アメリカのティーンエイジャーを主役にしたラブロマンス×ヴァンパイアものの〈ヴァンパイア・キス〉（マリ・マンクーシ著／笠井道子訳）全3巻や、魔法使いに導かれた四人の子どもたちが活躍する正統派ファンタジーの〈サークル・マジック〉（タモラ・ピアス著／西広なつき訳）全4巻などもお薦めだ。

no.71

深山くのえ〈桜嵐恋絵巻〉

平安時代のロミジュリ的ラブロマンス

初刊＝ルルル文庫
第1巻刊行年＝2008年
シリーズ巻数＝全10巻

あらすじ 二条中納言家の大君・藤原詞子は、幼い頃にかけられた呪いのせいで鬼姫と呼ばれ、親兄弟からも疎まれている。ある時妹の艶子が鬼に襲われ、鬼を呼び寄せたと無実の罪を着せられた詞子は家を追い出されて白河の別邸に移った。満開の枝垂れ桜に誘われて庭に出た詞子は、猫に導かれて屋敷に入り込んだ公達・源雅遠と出会う。真っすぐな性格の雅遠は、呪い持ちの詞子と接することを恐れない。二人は惹かれ合うが、彼は政敵である左大臣の嫡子だった。不憫な立場に追いやられた詞子と、異母弟に出世で先を越されて家に居場所がない雅遠。平安恋絵巻が鮮やかに花開く。

併読のススメ ルルル文庫の他の長編シリーズとして、鮎川はぎの〈横柄巫女と宰相陛下〉と倉吹ともえ〈砂漠の国の物語〉を紹介したい。現在は降田天名義で活躍する鮎川のデビュー作から始まる〈横柄巫女と宰相陛下〉は、言葉選びが下手で誤解を受けがちな巫女見習いのノトと、

ガイド 2005年から2007年にかけて小学館のキャンバス文庫とパレット文庫が終了し、後続レーベルとして2007年にルルル文庫が立ち上げられた。パレット文庫のBL路線はルルル文庫には継承されず、女性主人公もののファンタジー小説を中心に展開する。

ルルル文庫の主力作家の一人として活躍した深山くのえは、第29回パレットノベル大賞で佳作を受賞してデビューし、パレット文庫の廃刊後はルルル文庫で様々なシリーズを発表する。代表作の〈桜嵐恋絵巻〉は、右大臣派の父を持つ詞子と左大臣の嫡子である雅遠が運命の出会いを果たすという、平安時代の『ロミオとジュリエット』的な物語。詞子にかけられた呪いに敵対する実家関係と、二人の恋に立ちはだかる障害は大きく、ドラマチックな展開で最後まで読者を引きつける。歌を詠むのが苦手で出世とも縁遠い雅遠が、詞子との出会いをきっかけに変わり、目覚ましい成長を遂げていくのが頼もしい。控えめだが芯の強い詞子も、自らにかけられた呪いに向き合いながら恋の障害を乗り越えていく。ルルル文庫の他の深山作品では、〈乙女なでしこ恋手帖〉や〈浪漫邸へようこそ〉などの大正時代を舞台にしたシリーズがお薦めで、平安ものが好きな読者は小学館文庫キャラブン！の『色にや恋ひむ　ひひらぎ草紙』や〈桃殿の姫、鬼を婿にすること〉にも手を伸ばしてほしい。

シリウス王国の王子だが右手に怪我があるため宰相となっているカノンを中心としたファンタジーロマン。神殿や巫女にまつわる設定など作り込まれた世界観が魅力的で、不器用すぎるノトとカノンの関係性の変化や脇役との掛け合いをはじめ、ノトを取り巻く人間模様も面白い。〈砂漠の国の物語〉は、水の恵みをもたらす奇跡の聖樹シムシムの種子を運ぶ使者に選ばれた少女ラビサと、彼女を助けて一緒に旅をすることになった謎の少年ジゼットの、動乱の砂漠をめぐる冒険譚。時にシビアな、そして時に温かい人間ドラマや、単純な善と悪の対立には落とし込めない価値観の描写を盛り込んだ骨太な物語である。

no.72

仁賀奈〈ウェディング・オークション〉

性描写ありの乙女系ノベルの躍進と定着

初刊＝ティアラ文庫
第1巻刊行年＝2009年
シリーズ巻数＝全1巻＋続編1巻
書影＝ティアラ文庫完全版

あらすじ 庶民育ちのパトリシアは、高校時代に誤解を重ねたまま別離した恋人レナルドを忘れられずにいた。ある時母がチャリティーオークションで王子とのデート権を落札し、気が進まぬまま対面する。ところが、彼女の前に現れた王子はレナルドだった。ローズウェルド王国の王家に伝わる秘宝ロージェンスは、花嫁に相応しい者にだけ香りを嗅ぎ取ることができる香水で、媚薬的な効果を持つ。その香りに唯一反応したのがパトリシアだったのだ。今もレナルドを思い続けるパトリシアと、高校時代に愛を拒まれたと頑なになっている王子は、すれ違いを抱えたまま体を重ねるが――。

併読のススメ ホワイトハートを代表するTL小説として、記憶喪失をテーマにした火崎勇『花嫁はもう一度恋をする』を紹介したい。小国リエナの第二王女ユリアナは、カルドナ国の王オーギュストに嫁いで半年になるが、西の塔から落下したショックで五年分の記憶を失い、16歳

ガイド 少女漫画のようなイラストがカバーを飾る乙女系ノベル（TL小説）は、従来の女性向け官能小説のイメージを刷新し、出版市場で一大ジャンルへと成長を遂げた。先鞭をつけたのが、2009年に「キスだけじゃ終わらない。新・乙女系ノベル」というコピーを掲げて創刊されたフランス書院のティアラ文庫である。ティアラ文庫の成功を受けて以後多数のレーベルが新創刊され、乙女系ノベルの勢いは少女小説にも影響を及ぼしていった。同じく恋愛をモチーフにしながらも、男女の性愛を具体的には描写しない少女小説とは異なり、乙女系ノベルではベッドシーンに趣向が凝らされる。集英社はコバルト文庫でTL小説の出版を試みるも、2012年にTL専門の集英社シフォン文庫を新創刊することで官能ものを独立させた（現在はeシフォン文庫として継続中）。一方で、紫はBL、グリーンはファンタジーとロゴマークの色がジャンルのラベルとして機能するホワイトハートでは、TL用にピンクを新設。TL小説はレーベル内の一ジャンルとして定着をみせた。

ティアラ文庫黎明期に刊行された『ウェディング・オークション』は、庶民の娘が身分違いの王子様に見初められるという王道に、刺激的な性描写を織り込んだエロティックなシンデレラストーリー。続編『Wウェディング・オークション』は双子の王子に愛される3Pもので、2019年には二作を収録した完全版も発売された。

当時の心に戻ってしまった。ユリアナは王女時代からの侍女しか覚えておらず、夫だと名乗るオーギュストを前にしても怯え、戸惑う。オーギュストは強引に夫婦の営みを仕掛けるが、ユリアナの態度から記憶喪失が演技ではないと知り、心から詫びて彼女を労ろうとするが――。二度目の初夜から始まる愛や、強引な国王からの溺愛を描いた物語の中で、ユリアナがなぜ西の塔から落ちたのかというサスペンス要素が物語のアクセントになっている。本作はホワイトハート電子ダウンロード数ナンバー1作品と謳われ、火崎勇のTL小説20冊をまとめた合本版や、田茂たも太作画によるコミカライズも展開中だ。

Column

日本の少女小説史 4
2000年代

2000年以降に生じた少女小説における大きな変化として、読者の高年齢化が挙げられる。それまでの少女小説は女子中高生を主たる読者層として抱え、文字通り少女たちと強く結びついたジャンルであった。しかしながら2000年代に入ると、『ハリー・ポッター』シリーズなどに代表されるような海外ファンタジー小説、電撃文庫などの少年向けのライトノベル、さらには女子中高生の間で爆発的なブームを巻き起こすケータイ小説などが人気を博し、少女小説は女子中高生の読み物としての存在感を失っていった。それにともない少しずつ読者層の高年齢化が進み、以後現在に至るまで、少女小説というジャンルの主たる読者層は大人の女性が中心を占めるようになる。2000年代以降の少女小説で学園小説が減少し、ヒロインが何かしらの仕事に従事するお仕事ものが増加しているのも、読者層の変化と無関係ではないだろう。こうした時勢の移り変わりを踏まえつつ、200

0年以降の少女小説の動向をみていきたい。

2000年代に入ると角川書店（当時）が新たなレーベルを立ち上げ、少女小説の勢力図に変化が生じた。2001年に創刊された角川ビーンズ文庫は、女性読者をターゲットにしたファンタジー&ロマンス小説を展開し、あわせて角川ビーンズ小説大賞という新人賞もスタートし、レーベルは躍進を遂げる。

角川書店における女性向け小説のレーベルとしては、1992年創刊でBL小説を専門に展開する角川ルビー文庫と、そこから派生した角川ティーンズルビー文庫（以下ティーンズルビー）があった。ビーンズ文庫ではルビー文庫のようなBL小説やティーンズルビーに多かった学園小説はラインナップには取り入れず、ファンタジーを中心としたエンターテインメント路線を打ち出していく。

喬林知（たかばやしとも）の『まるマ』シリーズは、ティーンズルビーでスタートし、その後はビーンズ文庫に移籍して大ヒットした作品だ。ごく普通の高校生だった渋谷有利が、公衆トイレから異世界に流されて第27代目魔王になってしまうというストーリーで、独特のギャグや個性豊かな美形キャラたちが人気を集めた。またティーンズルビー出身の結城光流（ゆうきみつる）は、ビーンズ文庫では『少年陰陽師』という安倍晴明の孫で13歳の少年・昌浩を主人公にした平安ファンタジー小説を手掛け、人気シリーズとして現在も継続中である。

新人賞からもヒット作が生まれていった。その筆頭として、雪乃紗衣の中華ファンタジー小説『彩雲国物語』が挙げられる。主人公は貧乏暮らしをおくる名家の姫・紅秀麗。彼女は国政に興味を示さない王の教育係として後宮に入り、これをきっかけにこの国初の女性官吏となる夢を抱いて奮闘する。『まるマ』と『少年陰陽師』、そして『彩雲国物語』は2005年から2006年にかけてそれぞれテレビアニメ化され、ビーンズ文庫はより一層勢いづいた。

新人賞からは他にも、双子の兄の身代わりを演じる羽目になった少女ミレーユの冒険と恋をコミカルに綴る清家未森の『身代わり伯爵の冒険』シリーズや、人間が妖精を使役して暮らす国を舞台に、銀砂糖師を目指して厳しい職人世界の中で戦う少女アンと妖精シャルを中心とした三川みりの『シュガーアップル・フェアリーテイル』シリーズなど、バラエティに富んだヒット作が生まれた。

他のレーベルに目を向けると、コバルト文庫では90年代のような少年主人公小説が徐々に減り、少女主人公ものにヒット作が多い。テレビアニメ化もされた谷瑞恵(たにみずえ)の『伯爵と妖精』は、妖精が見える少女リディアと謎の青年エドガーを中心としたヴィクトリアンファンタジー小説だ。同じくヴィクトリア時代を舞台にした青木祐子(あおきゆうこ)の『ヴィクトリアン・ローズ・テーラー』は、恋が叶うドレスを作ると言われているお針子のクリスと、貴族青年シャーロックの身分違いの恋、そしてドレスにまつわる数々の事件を描くファンタジーロマン。また毛利志生子(もうりしうこ)の『風の王国』は、唐からチベットに嫁いだ公主・翠蘭の激動の人生を描いた、７世紀チベットを舞台にした大河歴史ロマンである。

　２０００年代のホワイトハートでは引き続きファンタジー小説も展開されていたが、レーベルを代表するヒット作はＢＬ小説から生まれている。高岡(たかおか)ミズミの『ＶＩＰ』は、会員制高級クラブのマネージャーとして働く和孝と、家出少年だった和孝を拾ったインテリヤクザの久遠を中心とした裏社会ラブ小説。また樹生(きふ)かなめの『龍&Dr.』シリーズは、美貌の内科医・諒一と、10歳年下の恋人で指定暴力団・眞鍋組二代目の清和の関係を描いた、ヤクザ×医者のＢＬ小説である。２０００年以降に創刊された少女小説レーベルではＢＬものはラインナップから排除されていくが、ホワイトハートでは引き続きＢＬ小説が多数刊行され、レーベルを支える柱となっていた。

２００６年前後はレーベルの廃止と新レーベルの創刊が相次ぎ、少女小説業界の再編成が進む。２００６年には講談社のティーンズハートが廃刊になり、２００７年前後にかけて小学館のパレット文庫とキャンバス文庫も終了した。一方で、２００６年にはエンターブレイン（当時）が新レーベルのビーズログ文庫を立ち上げ、小学館も２００７年にルルル文庫という新たな少女小説レーベルを創刊、さらに２００８年には一迅社も一迅社文庫アイリスをスタートするなど、新レーベルが続々と誕生した。

ビーズログ文庫は創刊当初は金沢有倖の『闇の皇太子』や流 星香の『お庭番望月蒼司朗参る！』のような少年主人公ものが出ていたが、その後は女性主人公小説が増えていく。新人賞からは、没落貴族の少女と成り上がり青年の政略結婚から始まる夫婦の姿をコミカルに描いた小野上明夜の『死神姫の再婚』や、優秀な兄たちを差し置いて女王即位が決まった王女レティーツィアの数奇な運命を描く石田リンネの『おこぼれ姫と円卓の騎士』、王女と瓜二つの主人公が身代わりとして嫁いで婚約破棄を目指す夕鷺かのうの『（仮）花嫁のやんごとなき事情』などの人気シリーズも生まれていった。

ルルル文庫の前身であるパレット文庫はある時期以降はＢＬレーベルとなっていたが、

ルルル文庫ではＢＬ路線は継承されず、ファンタジック・ドラマチック・ロマンチックという方針のもと、女性を主人公にしたシリーズが展開されていった。パレットノベル大賞出身の深山くのえは、レーベルの主力作家の一人として活躍し、平安版ロミオとジュリエットともいえる『桜嵐恋絵巻』をはじめ人気作を多数手掛けている。ルルル文庫の新人賞からは『レディ・マリアーヌ』シリーズの宇津田晴や、『横柄巫女と宰相陛下』の鮎川はぎの（現在は降田天名義で活動）、『幽霊伯爵の花嫁』の宮野美嘉らがデビューした。

なお初期のルルル文庫のラインナップの中には、翻訳小説も含まれていた。近年実写化されて注目を集めているナンシー・スプリンガーの『エノーラ・ホームズの事件簿』という、シャーロック・ホームズの妹を主人公にしたホームズパスティーシュものもルルル文庫から五作翻訳が出ており、先見の明が光る。翻訳ものは数年で途絶したが、日本では紹介されにくい海外のヤングアダルトやジュブナイルを積極的に展開するという挑戦は、ルルル文庫による功績の一つとして高く評価したい。

２００８年創刊の一迅社文庫アイリスは初期のラインナップでは、本宮ことはの『聖鐘の乙女』シリーズなど、他レーベル出身の作家の活躍が目立った。だが２０１０年代以降、ウェブ小説の書籍化を積極的に展開し、レーベルとしての存在感を増していく。ウェブ小説は2010年代における少女小説のトレンドとなり、ここからも様々なヒット作が生まれていくのであった。

Section 5

2010年代～2020年代

no. 73

嬉野君〈金星特急〉

金星の花婿候補たちのサバイバル冒険活劇

初刊＝ウィングス文庫
第1巻刊行年＝2010年
シリーズ巻数＝全7巻+外伝1巻＋番外編1巻＋続編既刊4巻

あらすじ　「花婿募集　条件：生殖能力のある男性　報酬：この世の栄華」。世界各地に忽然と現れる金星特急は、謎の美少女・金星の花婿候補を運ぶ特別列車。だが乗車した者は誰一人戻らず、列車は人智を超えた力で叩き潰され、最後には跡形もなく消失する。15歳の錆丸は一目惚れした金星に求婚するため、相棒のトカゲを連れて東京駅発の列車に乗り込んだ。口は悪いがやたらに腕の立つ隻眼の男・砂鉄、王子と見紛う美形だが実は大食らいの元騎士ユースタスと出会い、彼らと行動を共にする。それぞれの思惑で金星特急に乗り込んだ者たちの、壮絶なサバイバルゲームが始まった。

併読のススメ　〈金星特急〉本編は2012年に完結したが、2021年から〈竜血の娘〉という、錆丸の娘の桜を主人公にした続編が始まった。〈金星特急〉外伝や番外編には、幼い桜と錆丸の愛に溢れた日々が描かれる。だが〈竜血の娘〉の15歳の桜は、女の罪人が暮らす絶海の

ガイド 〈金星特急〉は2006年に『パートタイム・ナニー』でデビューし、ウィングス文庫を中心に活躍する嬉野君の代表作。金星特急に乗車した花婿候補たちの、世界各地を舞台にした命がけの旅路は、謎が謎を呼びつつジェットコースターのように突き進む。巻を重ねるごとに少しずつ明かされる、世界の秘密や登場人物たちの目的。出発時点では幼く無力な少年だった錆丸は、旅を続ける中で思いもよらぬ成長を遂げ、彼に触発されて一匹狼の砂鉄や、訳ありのユースタスも変化をみせていく。第1巻のテイストからは想像もつかないが、シリーズが進むにつれて恋愛模様も大いに盛り上がる。コミカルさと底知れぬ残酷さが同居した独特の読み口や、一癖(ひとくせ)も二癖もある魅力的なキャラクターたち、そして壮大なスケールで展開される心躍る冒険活劇に、ページをめくる指が止まらなくなるだろう。

本作の最大の特徴といえるのが、言語にまつわる大胆かつユニークな設定だ。作品の舞台となるのは、現代と似ているようで異なる歴史を辿(たど)ったパラレル世界。200年前に人工的な統一言語が生み出されて以来、民族固有の言語は粛清されて失われ、少数の例外者は「バベルの一族」と呼ばれている。金星にまつわる謎と、統一言語の誕生をめぐる秘密が徐々に絡(から)み合い、スリリングなストーリーが紡がれる。唯一無二の個性を放つ、傑作エンターテインメント小説だ。

孤島で育ち、大好きだったはずの父の記憶も失っていた。そんな桜のもとに、錆丸の仲間の砂鉄と三月(さんがつ)が迎えに訪れる。桜の過去には何があり、錆丸は今どこにいるのか。そしてなぜこの世界では、文明が崩壊してしまっているのか。すべてが謎だらけのまま旅が始まるという、〈金星特急〉らしい設定は健在で、蒼眼を持つ一族や桜の秘めた力をめぐる怒濤(どとう)の冒険が展開されていく。トカゲという意表を突く姿で復活するキャラや、相思相愛だった恋人たちの衝撃的な再会など、旧作ファンが驚く展開もあり、第2巻以降は言語問題も登場してより一層〈金星特急〉らしさが増す。心躍る桜の新たな旅も追いかけたい。

no.14

三川みり〈シュガーアップル・フェアリーテイル〉

砂糖菓子職人の少女と妖精をめぐるお伽噺

あらすじ 人間が妖精たちを使役するハイランド王国。母を亡くして天涯孤独の身となった少女アンは、銀砂糖師だった母のあとを継ぎ、砂糖菓子職人になることを決意した。聖なる砂糖菓子を作る特別職である銀砂糖師の称号を得るためには、王都で開かれる砂糖菓子品評会に参加して、王家勲章を勝ち取らなければならない。アンは危険な道中の用心棒として、なけなしのお金で戦士妖精・シャルを購入した。だが彼は外見こそ美しいものの、人間に心を閉ざしており、おまけにとんでもなく口が悪かった。二人は王都に向かって旅を続けるが、様々な試練がアンの身に降りかかる——。

初刊＝角川ビーンズ文庫
第1巻刊行年＝2010年
シリーズ巻数＝全15巻＋短編集2巻

併読のススメ 〈シュガーアップル・フェアリーテイル〉同様、独自の設定で読者を魅了する異世界小説として、栗原ちひろの〈オペラ〉シリーズを取り上げる。700年前の大災害でこの世は一度滅び、「世界の王」と呼ばれる者と鳥の姿をした神によって復活したと信じられてい

ガイド 〈シュガーアップル・フェアリーテイル〉はビーンズ文庫の新人賞で初の審査員特別賞受賞者となった、三川みりのデビュー作『銀砂糖師と黒の妖精』から始まるシリーズ。お人好しかつ芯の強い少女アンを主人公にした物語は、砂糖菓子職人にまつわるお仕事要素と、人間と妖精の種族を超えたロマンスを絡めながら展開する。砂糖菓子をモチーフにした物語は一見甘やかに見えるが、職人世界の厳しさや500年に及ぶ人間と妖精の確執など、作中に織り込まれた要素はどこまでもシビアだ。アンが身を置くのは、職人たちの派閥争いや足の引っ張り合いが横行する、男性中心の社会。彼女は様々な嫌がらせを受けるが、それでも屈することなく、己の技術を頼りに立ち向かう。砂糖林檎から銀砂糖を精製し、美しい砂糖菓子を作り上げていく職人の技が、詳しく丁寧に描かれている点も読みどころとなっている。

　アンは妖精を使役することを好まず、シャルとも対等に向き合いたいと願うが、彼はとある理由から人間を嫌い、アンに対しても悪態をつき続けた。けれども彼女の真っすぐな生き方はシャルの心を解かし、二人は徐々に絆を育んでいく。種族の違いを乗り越えて互いを信じて手を取り合った二人の結末に心が温かくなる、甘くて苦いお伽噺だ。本作は2014年に完結したが、2022年にテレビアニメ化企画が発表され、かつて出ていた白泉社版とは異なる新コミカライズもスタート。時を経て再度スポットが当たるのも頷ける名作である。

る世界。故郷を魔物の襲撃で失い、自身も魔物の呪いを受けて満身創痍となった薬師のカナギは、万病に効く「命の花」の噂を聞きつけてとある町を訪れる。いつも死にかけだが生への執着がやたらと強いカナギ。各地を放浪する謎めいた美貌の詩人。カナギの命を狙う暗殺集団に属する少女。なりゆきで仲間となった三人の旅路を描く物語は、第1巻の時点では全貌は見えず、巻を追うごとに世界の仕組みと秘密が解き明かされていくという、異世界ファンタジーの醍醐味を味わえる作品だ。病弱な主人公という設定もユニークで、カナギと詩人のソラ、そして元暗殺者のミリアンがみせる軽妙な掛け合いが楽しい。

no.75

三上延〈ビブリア古書堂の事件手帖〉

ライトミステリーの記念碑的作品

あらすじ 幼少の頃に本好きの祖母の本棚を触って叱られて以来、五浦大輔は本が読めない体質になってしまった。一年前に他界した祖母の蔵書の中から夏目漱石のサイン入りの本が発見され、大輔は鑑定のために北鎌倉にある古本屋「ビブリア古書堂」を訪れた。店主の篠川栞子は極端に内気な性格だが、古書にまつわる知識と情熱は人一倍で、本について話し出すと止まらない。栞子は『漱石全集』にまつわる謎と、祖母が隠し続けていた秘密を見事に解き明かし、この件をきっかけに大輔はビブリア古書堂で働き始めた。二人の前に、今日もまた古書にまつわる謎が届けられる——。

初刊＝メディアワークス文庫
第1巻刊行年＝2011年
シリーズ巻数＝全7巻＋続編既刊3巻

併読のススメ 少女小説好きにお薦めしたい謎解き×蘊蓄ものとして、望月麻衣の〈京都寺町三条のホームズ〉（双葉文庫）を挙げたい。埼玉から京都に引っ越してきた女子高生の真城葵は、とあるきっかけで「寺町のホームズ」と呼ばれる家頭清貴と知り合い、彼に誘われて京都の寺町

ガイド ライトノベルから派生したライト文芸は、今や一大ジャンルとして定着をみせている。その元祖といえるメディアワークス文庫は、電撃文庫を読んで大人になった読者をターゲットに2009年に創刊された。2011年発売の〈ビブリア古書堂の事件手帖〉は、累計部数が700万部を超えるヒット作。本作はライトミステリーという、「カフェや古書店など雰囲気のある空間の個性的な店員が持ち込まれた謎を解決する」という形式を決定づけた記念碑的作品でもあった。メディアワークス文庫の勢いを受けて、2015年前後には多数のライト文芸レーベルが創刊され、その影響は少女小説にも波及する。

様々な古本から浮かび上がる人々の「物語」と、栞子による鮮やかな謎解き、そして生粋の本の虫が語る古書にまつわる蘊蓄が楽しい〈ビブリア古書堂の事件手帖〉。本作に登場する古書はすべて実在する作品で、バラエティに富んだ古書のラインナップは読書家の心をくすぐらずにはいられない。物語が進むにつれて、10年前に失踪した栞子の母・智恵子との確執も明らかとなっていく。栞子を凌駕するほどの古書の知識と推理力を誇りながら、欲しいもののためには手段を選ばない智恵子の冷徹さがシリーズに緊張感を与えており、本にまつわる業があぶり出されるのも興味深い。2018年からは栞子と大輔の娘・扉子が登場する新章もスタートした。

三条商店街にある骨董品店「蔵」でアルバイトを始めた。清貴は骨董の目利きであり、その鋭い洞察力で骨董にまつわる数々の事件を解決してみせる。京都の街並みや文化などの観光案内的な要素に加え、物腰は柔らかだが実は腹黒な清貴の〝いけずな京男子〟ぶりや、それぞれに手痛い失恋をしている葵と清貴のじれじれとしたロマンスもシリーズの読みどころだ。第2巻からは清貴の好敵手となる贋作師が登場し、『シャーロック・ホームズ』シリーズにおけるモリアーティ教授的な悪役ポジションとして物語を攪乱する。テレビアニメ化やコミカライズなど、メディアミックスもされた人気作だ。

no.76

夕鷺(ゆうさぎ)かのう
〈(仮)花嫁(はなよめ)のやんごとなき事情(じじょう)〉

毒皇子とド庶民娘の身代わり離婚ラブコメ

初刊＝ビーズログ文庫
第1巻刊行年＝2012年
シリーズ巻数＝全12巻＋短編集1巻＋スペシャルブック1巻

あらすじ 孤児院育ちのフェルは、週に29ものアルバイトを掛け持ちする勤労少女。ユナイア国の王女シレイネと瓜二つの容貌(ようぼう)を活かし、病弱な王女の影武者も請け負っていた。ある時フェルは、敵国エルラントの第三皇子で悪名高い「毒龍公クロウ」に嫁(とつ)ぎ、円満離婚をしてほしいとの依頼を受ける。高額報酬(ほうしゅう)に目がくらんで身代わりを承諾するも、新婚初夜にクロウからナイフを突きつけられて殺されかけ、召使いからも嫌がらせを受けるなど新生活は前途多難だった。だがフェルはめげることなく下働きに変装して妃との二重生活を続ける中で、クロウの思いがけない一面を知ることになる。

併読のススメ ビーズログ文庫の他の身代わり婚約破棄(はき)ものでは、全3巻とコンパクトにまとまっている江本(えもと)マシメサの〈令嬢エリザベスの華麗なる身代わり生活〉をお薦めしたい。田舎(いなか)貴族のエリザベスは、駆け落ちしてしまった妹の身代わりを半年間演じてほしいと公爵家(こうしゃくけ)嫡男(ちゃくなん)の

ガイド 〈(仮)花嫁のやんごとなき事情〉は、夕鷺かのうの代表作として知られる人気シリーズ。少女小説の定番ジャンルである政略結婚ものに離婚という要素を持ち込んでコメディに仕立てた本作は、テンポのよい会話と勢いのあるストーリーが魅力的な作品に仕上がっている。下町育ちのフェルは逆境にもめげないたくましい性格の持ち主で、作中の随所で顔を出す彼女の庶民的な感覚が笑いを誘う。クロウは冷酷非情な男だが、使用人に変装して接する時は一転して優しい城主の顔を見せ、そのギャップがフェルを戸惑わせるのだった。当初は鬼畜なイメージが強いクロウだが、第1巻のラストで明かされる思いを知ると、その一途さが愛おしくなるだろう。物語はワルプルギスの夜までという期限の中で円満離婚を目指すフェルの奮闘を描きつつ、フェルと王女シレイネをめぐる秘密や、呪毒と妖精の謎へと広がっていく。終盤はシリアス色が強くなり、作中の伏線も解き明かされるなど、緻密に設定されたストーリーは大きなカタルシスをもたらしてくれるだろう。

他の夕鷺作品では、ブラック企業を描いた『今日は天気がいいので上司を撲殺しようと思います』や、モンスタークレーマーをテーマにした『神さま気どりの客はどこかでそっと死んでください』(ともに集英社オレンジ文庫)など、近年はブラックなお仕事小説でも存在感を発揮している。

シルヴェスターに頼まれ、困窮する実家への援助と引き換えに承諾した。数々の男と奔放な浮名を流す悪名高い令嬢を演じることになったエリザベスは、ツンとしているが聡明さや貴族としての矜持をあわせ持った小気味良いヒロインで、堅物婚約者のユーインと腹黒シルヴェスターとの三つ巴の恋も絡んでいく。近年の少女小説では少ない三角関係ものとしても楽しめる作品だ。瓜二つの容貌を持つシルヴェスターの妹が抱える闇は深く、彼女の執念がエリザベスを追い詰めるというサスペンス的な展開も読みどころ。また作中に登場する美味しそうな食べ物やお菓子描写もお薦めポイントとなっている。

no.77

葵木あんね『緋色の聖女に接吻を　白き翼の悪魔』

悪魔と契約した少女は神への復讐を誓う

初刊＝ルルル文庫
刊行年＝2012年

あらすじ　腐敗した聖職者がはびこる退廃の都・ラミーニャ。拷問により死の淵に立つ少女アリーチェの前に、悪魔バルキネスが現れた。養母を救ってくれなかった神に復讐を誓うアリーチェは、悪魔と契約を交わし、神に罰を与えようと枢機卿まで上り詰める。教皇選挙で暗躍するアリーチェは、信仰心が篤くて御しやすいミケーレを教皇に推すが、教皇庁内で連続殺人が発生。一方、バルキネスの正体は地上に堕とされた元天使で、期限までにアリーチェの命を手に入れなければ消滅する定めにある。だが彼はアリーチェを愛してしまい、己の秘密を隠して彼女に寄り添うが……。

併読のススメ　ルルル文庫にはバラエティに富んだ単巻読み切り作が揃っている。コメディものでは、みどうちんの『赤き騎士と黒の魔術師』を紹介したい。誰からも恐れられる黒の魔術師・ユハと、彼の警護として派遣された熱血で一本気な女騎士・ビビアナの物語は、独特の

ガイド ある時期以降のルルル文庫ではシリーズものが減少し、単巻完結の読み切り作品が増えていった。第1回ルルルカップを受賞してデビューした葵木あんねは、ルルル文庫の単巻ものを代表する書き手の一人だ。『緋色の聖女に接吻を』は、宗教をモチーフにした異色作で、神に復讐するために史上初の女教皇を目指すアリーチェと、彼女に恋をした悪魔をめぐるファンタジーロマン。アリーチェは自らの信念のために清濁あわせ呑んだ行動を取るが、心の高潔さは失わない人物で、世界の不条理を正すために腐敗した教皇庁に入り込む。そんな彼女を見守る堕天使バルキネスの純愛が美しい。物語の設定は重いが、バルキネスとアリーチェの掛け合いは楽しく、作中の要所では甘いシーンも登場。シリアスと甘さのバランスが絶妙な良作である。

なお葵木あんねは、2010年にロマン大賞を受賞してデビューし、コバルト文庫などで中華後宮ものを多数手掛けるはるおかりのの別名義。はるおかの代表作である凱帝国を舞台にした〈後宮史華伝〉シリーズ（コバルト・オレンジ文庫）や、小学館文庫キャラブン！で展開中の〈耀帝後宮異史〉などが人気だが、個人的一押し作は中華ファンタジー設定でデスゲームを展開する『九天に鹿を殺す 煌王朝八皇子奇計』（オレンジ文庫）。帝位のために八人の皇子が騙し騙されながら殺しあう、殺伐とした世界観がたまらない作品だ。

ギャグセンスがユニークな作品だ。ユハが作った御守りの「あったか腐乱妖精」など、作中に登場する妙なアイテムの数々は笑いを誘う。一方でユハの壮絶な過去や、国の穢れにまつわる設定は重く、コメディパートとの対比が鮮やかだ。またシリアス好きには、ミズサワヒロの『吉原夜伽帳 鬼の見た夢』という、江戸時代の遊郭を舞台にしたホラーミステリーをお薦めしたい。〝死んだ人間が見える〟という噂がある弥太郎は、元遊女の死にまつわる謎を調べ始め、吉原に生きる者たちの愛と憎しみがあぶり出されていく。吉原の切なさや哀しさを凝縮したストーリーと本格的な郭描写が絶品の、隠れた力作である。

no. 78

喜多みどり〈デ・コスタ家の優雅な獣〉

異能×マフィアのダークラブファンタジー

あらすじ 天涯孤独で内気な少女ロザベラの前に、親戚だと名乗るデ・コスタ家が現れる。名家として知られるデ・コスタ家だが、その正体は裏社会を牛耳るマフィア。おまけに一族には異能の力があり、その能力は母系のみで遺伝するという秘密があった。ロザベラはデ・コスタの血を受け継ぐ唯一の女であり、跡継ぎを産むために冷徹な策略家の長男エミリオ、無愛想で毒舌な次男のノア、やんちゃな三男ダリオの三人の従兄のいずれかと結婚するよう告げられる。当初は怯えてデ・コスタ家から逃げ出そうとするロザベラだが、彼女の中に眠る血が少しずつ目覚めていくのであった。

併読のススメ マフィアをモチーフにした他作品として、深見アキの『今宵、ロレンツィ家で甘美なる忠誠を 恋のはじまりは銃声から』（ビーズログ文庫）を紹介したい。伝説のオッドアイに生まれた少女リタは、人買いに捕まってしまい闇市の競売にかけられる。彼女を競り落としたの

初刊＝角川ビーンズ文庫
第1巻刊行年＝2012年
シリーズ巻数＝全5巻

ガイド 〈デ・コスタ家の優雅な獣〉は、少女小説では珍しいマフィアを題材にした作品。その血統から裏社会の一族に引き取られた大人しくて純な少女が、マフィアの血で血を洗う闘争に巻き込まれるうちに、牙と爪を持ち合わせたデ・コスタの強かな女へと変貌する。当初は内気でおどおどしていたロザベラは、薄汚れた犯罪の世界に足を踏み入れ、時には他人を脅すことも覚えながら従兄や敵対する組織と渡り合っていくのだ。ロザベラが〝悪い子〟として目覚めていく様には独特の背徳感が漂い、読者の心に暗い興奮を呼び起こす。三人の美形従兄たちも一筋縄ではいかない性格で、それぞれの思惑を抱えながらロザベラに接している。とある秘密を抱えた冷酷な長男のエミリオ、ロザベラと複雑な関係をみせる次男のノア、シリーズ中で大きな成長を遂げる三男ダリオの中で、最終的にロザベラが誰を選ぶのか。呪われた一族に生まれたロザベラが見せる華麗な成長と、血と硝煙の匂いが漂うマフィアものらしいストーリー、二転三転する人間関係の中で繰り広げられるラブゲームが魅力的な、ハード&ダークなシリーズである。

作者の喜多みどりは第1回角川ビーンズ小説大賞で奨励賞を受賞し、『天空の剣』でデビュー。近年は角川文庫でも活躍をみせ、札幌を舞台にしたグルメ小説〈弁当屋さんのおもてなし〉が人気を博し、2023年に北海道テレビでドラマ化された。

は、カルディア島を守るロレンツィ家の若きボスのアルバート。彼は過去のトラウマで声を失ったリタに甘い言葉を囁き、花嫁としてロレンツィファミリーへ迎え入れる。だがその素顔は冷酷なマフィアで、アルバートがリタに求めたのはあくまで妻役を演じることだった。流されるままに生きてきたリタは、ロレンツィファミリーの中で居場所を作ろうと奮闘を続け、その姿はマフィアの若きボスという重責を背負ったアルバートの心を絆していく。残虐かつ孤独なヒーローが、だんだんと花嫁への執着を深めていく様がなんとも甘酸っぱい。コミカライズも出ており、今後の展開にも期待したい作品である。

no.79

日向夏（ひゅうがなつ）
〈薬屋（くすりや）のひとりごと〉

無愛想な毒味役の推理が後宮で冴え渡る

初刊＝Ray Books
刊行年＝2012年
シリーズ巻数＝既刊12巻
書影＝ヒーロー文庫版

あらすじ 薬師の少女・猫猫（マオマオ）は人さらいにかどわかされ、後宮で働く下女として売り飛ばされた。大人しく働いて年季明けを待とうとするものの、持ち前の好奇心に負けて後宮で続いていた乳幼児連続死事件の解決に一役買ったことが原因で、その目論見（もくろみ）は脆（もろ）くも崩れ去る。猫猫が薬と毒の専門家であることを知った美形の宦官（かんがん）・壬氏（ジンシ）は、彼女を玉葉妃（ギョクヨウ）の毒味役に抜擢（ばってき）し、厄介な問題が持ち上がる度に相談を持ちかけてくるようになったのだ。宙を舞う女の幽霊騒ぎ、呪いの炎、園遊会の最中に起きた妃の毒殺未遂事件。陰謀（いんぼう）がうごめく後宮という華やかな鳥籠（とりかご）の中、猫猫の推理が冴え渡る。

併読のススメ 後宮を舞台にしたお仕事×ミステリー小説では、ビーンズ文庫出身の小野（おの）はるか〈後宮の検屍女官〉（角川文庫）が面白い。謀殺（ぼうさつ）されたと噂（うわさ）される妃嬪（ひひん）の棺（ひつぎ）から赤子の遺体が見つかり、「死王が生まれた」と後宮は幽鬼騒ぎに揺れる。皇后の命を受けた宦官・延明（えんめい）は騒動の

ガイド　原作に加えて二種類のコミカライズが同時展開中で、シリーズ累計が2100万部を突破した〈薬屋のひとりごと〉。本作は2011年から小説投稿サイト「小説家になろう」で連載され、主婦の友社で単行本化、その後は同社が創刊したヒーロー文庫に移籍して刊行が続いている。後宮を舞台にしたライトミステリーは女性向けでは人気の題材だが、男性読者も多いレーベルから刊行され、メディアミックスも連動することで、幅広いファンを獲得した作品である。

花街育ちの少女が薬学の専門知識と冴えた推理力で、後宮で起きる事件の数々を解決する〈薬屋のひとりごと〉。主人公の猫猫は後宮の人間関係に興味を示さずクールに振る舞うが、珍しい毒を前にすると人格が豹変し、普段のテンションとの落差が笑いを誘う。毒物に対して異常な執着と愛情をみせる猫猫と、謎の多い美形宦官・壬氏のコミカルなやり取りも楽しく、壬氏の一方通行ぎみな思いと猫猫のツンデレぶりはシリーズの見どころだ。本作はミステリー小説としても高度な試みがなされており、猫猫が解決する小さな事件の数々が、ある時点からすべて繋がっていき、後宮でうごめくより大きな陰謀があぶりだされる。その集大成ともいえる第4巻はシリーズ屈指の面白さを誇る。物語が進むにつれて舞台は後宮外へと広がっていき、蝗害問題などにも踏み込むなど、より大きなスケールで展開中。2023年にテレビアニメの放送が予定されている。

鎮静化に乗り出し、皇帝の寵姫に仕える侍女・桃花と出会う。ぐうたらな桃花は代々続く検屍官の家系の出身で、死体を前にすると別人のように覚醒する。敵対する陣営にいる女官と宦官がバディを組み、検屍術を通じて事件を解明するという謎解き要素に加え、本作では冤罪や宦官の苦悩も掘り下げられており、とりわけ延明の懊悩が作品に独特の陰影を与えている。延明は五年前に冤罪で腐刑に処され、その後身分を回復するものの、尊厳を踏みにじられた心の傷は今も癒えていない。飄々とした性格の桃花もまた、一筋縄ではない過去を持つ。物語は第4巻で激動の展開を迎え、ますます目が離せない。

no.80

貴嶋啓(きじまけい)
〈エルトゥールル帝国(ていこく)〉
オムニバス形式の政変×エキゾチックラブ

あらすじ エルトゥールル帝国第二宰相(ヴェジーリ・サーニー)の娘セルマは、庶子であるため継母や異母妹に虐(しいた)げられ、実父からも顧(かえり)みられずに使用人のように扱われている。そんなセルマの唯一の息抜きは、少年に扮して町の珈琲館(カフヴェ)で母の形見のウードを弾くことだった。いつものように珈琲館でウードを演奏していると、皇帝(スルタン)の暗殺を企(くわだ)てる男たちの会話が耳に入ってしまう。皇太后(ヴァリデ・スルタン)の間者と間違われたセルマは、男に拉致(らち)されて屋敷に閉じ込められた。セルマを攫(さら)った男の正体は、若き第五宰相(ヴェジーリ・ハーミス)で父の政敵・ラフィーク。彼らはジハンギル皇子を皇位につけるため、政変を目論(もくろ)んでいるのであった——。

併読のススメ アラビアンな世界観を打ち出した作品として、『千一夜物語』を下敷きにした小椋(おぐら)春歌(はるか)の〈月と夜の物語〉（ビーズログ文庫）を取り上げたい。平穏な村でよろず屋として暮らす少女ライラは、魔神を封じているという古ぼけたランプを預けられる。祖母が遺した魔術書を頼

初刊＝講談社X文庫ホワイトハート
第1巻刊行年＝2012年
シリーズ巻数＝既刊7巻

ガイド 〈エルトゥールル帝国〉シリーズ第1巻にあたる『囚われの歌姫 政変はウードの調べ』は、2012年にホワイトハート新人賞を受賞した貴嶋啓のデビュー作。本作はオスマン帝国を題材にしたヒストリカル風ラブロマンスで、第一皇子ジハンギルが皇帝に即位するために起こした政変を中心に、そこに関わる人々が繰り広げる恋模様を一巻完結のオムニバス形式で描いている。『囚われの歌姫』の不遇なヒロイン×俺様気質のヒーローを皮切りに、医師見習い×法官、第二皇女×海賊、女官×御曹司、皇帝×幼馴染など、バラエティに富んだカップルがシリーズに登場してロマンスを繰り広げる。シリーズの時系列はバラバラで、複数のキャラクターの視点からジハンギルが起こすクーデターを語ることで重層的な物語を構成しているのが面白い。個人的な推し巻は、シリーズの幕開けを飾る『囚われの歌姫』と、ひねくれ者の皇帝ジハンギルと彼を受け入れるしっかり者で才女のヒロインの造形が魅力的な『運命の皇帝 幼なじみは想い人』。この二作は望月桜によるコミカライズも刊行されている。

一夫多妻制や、スルタンとなった者が他の兄弟を皆殺しにするシビアな風習など、オスマン帝国の文化は少女小説とは馴染みにくい題材が少なくない。こうした設定をきちんと取り入れながら少女小説らしいロマンスに仕上げた、エキゾチック&ドラマチックなシリーズだ。

りにランプに呼びかけたところ、魔神ルーダイナにかけられた声の封印を解くことに成功した。ライラはランプを探しに来た王子シャールカーンと、その従者ザインに頼まれて、鬼神に攫われた姫を救う旅に同行するが……。主人公のライラはピュアでお人好しな女の子で、魔術でも恋でも無自覚な天然ぶりを発揮する。一方のヒーローザインは裏がある腹黒キャラだが、天然なライラに振り回されてしまう。物語の序盤ではいけすかない王子は、旅を続ける中で印象が大きく変わって魅力的なキャラへと成長を遂げる。女の子の恋と冒険を描いた、心躍るアラビアンファンタジーだ。

no.81

原案＝HoneyWorks
〈告白予行練習〉
人気ボカロ曲発の青春群像ラブストーリー

初刊＝角川ビーンズ文庫
第1巻刊行年＝2014年
シリーズ巻数＝既刊16巻

あらすじ 榎本夏樹は、幼馴染の瀬戸口優に片想いを続けてきた美術部所属の高校3年生。ついに勇気を出して告白したまでは良かったものの、緊張からか咄嗟に今の言葉は告白の予行練習だと嘘をついて誤魔化してしまう。一方の優も、実は夏樹に想いを寄せているのだが、告白の練習相手として選ばれた自分は本命候補にはなれないと考えて落ち込む。そんなすれ違いを抱えたまま迎えた高校生活最後の夏休み、夏樹はマンガの趣味があうクラスメイトの男子・綾瀬恋雪と二人でサイン会に出かける。その帰り道、公園で恋雪に抱きしめられたところに偶然、優が通りかかり――。

併読のススメ 〈告白予行練習〉はアニメ映画が制作されるなどメディアミックスが盛んだが、角川ビーンズ文庫の他のボカロ小説では、れるりりの楽曲を小説化した〈厨病激発ボーイ〉もテレビアニメ化や舞台化された作品である。ごく普通の女子高生・聖瑞姫は、平穏無事な高

ガイド ボカロ小説とは、音声合成ソフトのＶＯＣＡＬＯＩＤを使って作成された楽曲を原案とした小説のことを指す。２０１０年にmothy（悪ノＰ）が発表したボカロ楽曲を小説化した『悪ノ娘 黄のクロアテュール』（ＰＨＰ研究所）が先駆けとなり、ボカロ小説は２０１０年代前半にブームを巻き起こした。角川ビーンズ文庫は２０１３年からボカロ小説刊行に乗り出し、中でも人気なのが、〝青春系胸キュンロック〟で女子中高生から絶大な支持を集めるHoneyWorks（通称ハニワ）である。代表曲を小説化した『告白予行練習』からスタートした〈告白予行練習〉シリーズは、甘酸っぱい恋愛模様や等身大のキャラクターを中心とした学園物語が若年読者層の心を捉えてヒット。現在の少女小説は読者の高年齢化が進んでいるが、ビーンズ文庫はボカロ小説を定着させることで、中高生読者層のニーズに応える青春エンタメをレーベルの柱として取り込むことに成功した。

シリーズ第１巻『告白予行練習』は、桜岡高校３年生の仲良し六人組、中でも夏樹と優の恋愛事情にスポットを当てた物語。続く『ヤキモチの答え』や『初恋の絵本』では別キャラが主人公になり、三組の恋愛事情が別角度から語られることで、物語に多層性が生まれている。近年のシリーズではアイドル要素を取り入れ、ＬＩＰ×ＬＩＰというアイドルグループとその見習いマネージャーの物語が展開中だ。

校生活を求めていた。だが転校初日に野田大和という戦隊オタクの変人に目をつけられてしまい、「ピンク」と呼ばれて勝手に仲間認定をされ、以後も重度の厨二病を患う男子たちに振り回されていく。特撮ヒーローに憧れる熱血漢の野田大和に、見た目はイケメンだが二次元しか愛せない高嶋智樹、暗黒神を右腕に宿す学年一位の秀才・中村和博に、黒幕気取りで意味深な行動を取る九十九零……。それぞれの方向でこじらせた男子たちの痛すぎる言動と、それに対する瑞姫の突っ込みが絶妙で、平凡に見えて実は的な驚きのある第１巻ラストも面白い。心の内に仕舞い込んだ厨二心がくすぐられるシリーズである。

no.82

朝霧カフカ

〈文豪ストレイドッグス〉

文豪×異能力バトルのメディアミックス作

あらすじ 異能力者が集う武装探偵社の調査員・国木田独歩は、ある新入社員の面倒を見るように社長から命じられる。生真面目で度の過ぎた理想主義者の国木田とは正反対に、新入りの太宰治は自由気儘で自殺マニアの問題児、そのうえ過去の経歴が空白の怪しげな男だった。匿名の依頼を受けて幽霊屋敷調査に出かけた二人は、訪れた建物の奥で横浜来訪者失踪事件の行方不明者たちを発見する。しかし、それは武装探偵社を標的とした罠だった。さらに事態は悪化し、横浜市内に仕掛けられた爆弾の爆破予告が届く。一連の事件の背後に潜む真犯人、《蒼の使徒》の正体とは――。

併読のススメ KADOKAWA系列作品で、ビーンズ文庫でも展開中のシリーズとして、桜庭一樹〈GOSICK〉や有栖川有栖〈火村英生〉などが挙げられる。〈GOSICK〉は天才的な頭脳を持つ美少女ヴィクトリカと、ヨーロッパの小国ソヴュールに留学した心優しき優等

初刊＝角川ビーンズ文庫
第1巻刊行年＝2014年
シリーズ巻数＝既刊7巻

ガイド 〈文豪ストレイドッグス〉は、『ヤングエース』で連載中の異能アクションバトル漫画（原作：朝霧カフカ、作画：春河35）。イケメン化した文豪たちが文豪の作品名を冠した異能力を用いて戦うシリーズは、テレビアニメや映画や舞台と展開され、女性を中心にヒット。シリーズ累計1000万部を突破した人気作である。角川ビーンズ文庫では朝霧カフカによるオリジナル小説の他、映画ノベライズや映画特典の書籍化、舞台〈文スト〉のインタビューブックなどが刊行されている。KADOKAWAのメディアミックスラインのひとつであり、こうした人気シリーズを展開できるのも角川ビーンズ文庫の強みといえるだろう。

物語は軍や警察に頼れないような危険な依頼を専門とする武装探偵社と、横浜を縄張りにする凶悪なポートマフィアの対立をベースに、様々な組織が絡みながら進む。メインキャラの太宰治は、ポートマフィアで幹部まで上り詰めながら、とある事件が原因で組織を抜け、その後は武装探偵社に身を置いている。太宰と現在の相棒である国木田独歩を中心とした『太宰治の入社試験』や、太宰とポートマフィアの決別を描く『太宰治と黒の時代』、ポートマフィア時代の太宰の相棒で〝双黒〟と呼ばれた中原中也をメインとした大作『STORM BRINGER』など、コミックス本編では明かされていない展開を掘り下げた小説はファン必見だ。

生・久城一弥を中心とするミステリー×冒険譚。物語は1924年から始まり、当初は二人が遭遇する事件をメインに進むが、やがてヴィクトリカ自身の秘密が明らかになり、戦争という時代の荒波が二人を呑み込んでいく。テレビアニメ化もされた桜庭一樹の出世作だ。〈火村英生〉シリーズは、臨床犯罪学者の火村英生が探偵、推理作家の有栖川有栖が助手役を務めるバディミステリーで、本格的なトリックや二人の小気味よい会話が楽しい。ビーンズ文庫では既存シリーズにイラストを追加して刊行された作品の他、「密室」「暗号」「アリバイ」をテーマに作者が自選したオリジナル短編集も発売されている。

no.83

香月美夜

〈本好きの下剋上　司書になるためには手段を選んでいられません〉

異世界で本を渇望する少女のあくなき挑戦

初刊＝TOブックス
第1巻刊行年＝2015年
シリーズ巻数＝既刊30巻＋外伝1巻＋短編集2巻

あらすじ　大の活字中毒で本を偏愛する本須麗乃は、地震で崩れてきた大量の書籍に押し潰されて死亡し、中世ヨーロッパ風の異世界で生きる病弱な幼女・マインとして生まれ変わった。現代日本の記憶を持つマインには、風呂もトイレもない暮らしが不便で仕方ない。そのうえ、ここでは本が平民には手の出ない高級品なのだ。本が買えないなら、作るしかない。パピルスに、粘土板に、木簡。頭の中の知識を頼りに、本の代替品を自作しようとするが、小さくひ弱な己の体と、本を知らない周囲の無理解が壁となって立ちはだかる。いつかは本に囲まれた生活を夢見て、マインの挑戦が続く。

併読のススメ　TOブックスの他作品では、一迅社文庫アイリス出身の作家・永野水貴の〈恋した人は、妹の代わりに死んでくれと言った。〉を少女小説好きにお薦めしたい。初恋の人ブライトが義理の妹を愛し、彼女の身代わりとして瘴気に満ちた死地へ向かうことを強いられたウィ

ガイド　「本好き」の愛称で親しまれ、幅広い層の支持を得ている〈本好きの下剋上〉。2013年から小説投稿サイト「小説家になろう」に連載された物語は、2015年にTOブックスで書籍化され、コミカライズやテレビアニメ化などのメディアミックス、さらにはTOジュニア文庫版という小学生向けの書籍の発売など、幅広い展開をみせている。少女小説好きにお薦めの、なろう発ウェブ小説のひとつだ。

　マインの本に対するあくなき渇望と、本が買えないので自分で作ろうとする愚直なまでの奮闘ぶりが、本作の最大の特徴かつ魅力である。識字率が低く印刷技術もないこの国で、マインは現代日本の知識を駆使しながら本作りを目指すが、貧しい兵士の病弱な娘という立場も相まってその試みは困難を極める。それでもマインは諦めずに挑戦を続け、様々な失敗を繰り返しながら、本に一歩一歩近づいていくのだ。貴族と平民の間に厳格な身分制度が存在し、魔法の力を持つ貴族が支配層となったこの世界の中で、異世界の知識と魔力を秘めた平民の娘マインは特異な存在として、様々な勢力の注目を集めていく。彼女は巫女見習い、そして貴族の養女と立場を変えながら本作りを進め、また大切な人たちを守るために戦い続ける。マインの保護者となった神官長フェルディナンドとの、シリーズが進むにつれて深まる年の差カップル要素も見逃せない。

ステリアは、言葉を喋る聖剣・サルティスを相棒とし、時を止めたまま門番として一人孤独に生きていた。ある時彼女の前に、ブライトと瓜二つの青年ロイドが現れ、聖剣を奪おうとする。彼はブライトと義理の妹の間に生まれた子どもであった。古傷を抉られて動揺するウィステリアと、何も知らないまま彼女に一方的に弟子入りして魔法を学ぼうとするロイドの、切ない師弟恋愛ファンタジーである。練りこまれた世界観や独創的な魔法の設定、複雑な人間心理が丁寧な筆致で掬い上げられると共に、人間くさい聖剣・サルティスの存在が物語をシリアス一辺倒には染めない、よきアクセントとなっている。

no.84

友麻碧

〈かくりよの宿飯〉

あやかしお宿を舞台にした飯テロ小説

あらすじ 亡き祖父ゆずりのあやかしを見る力を持つ、大学生の津場木葵。幼い頃に母親のネグレクトで飢え死にしかけた体験を持つ葵は、空腹な野良あやかしに会うと放っておけず、ご飯を与えていた。ある日、葵はあやかしが棲まう〝隠世〟にある老舗旅館「天神屋」の大旦那である鬼神に攫われてしまう。祖父が隠世で残した借金のかたとして大旦那への嫁入りを告げられた葵は、なんとしてもそれは避けたいと、天神屋で働いて借金を返すことを宣言する。だがあやかしたちは突然現れた人間に冷たく、仕事を見つけられない葵は得意の料理の腕を活かして離れに料理屋を開くが――。

初刊＝富士見L文庫
第1巻刊行年＝2015年
シリーズ巻数＝既刊12巻

併読のススメ 富士見L文庫のご飯もの小説として、竹岡葉月の園芸ライフラブストーリー〈おいしいベランダ〉を取り上げたい。大学進学を機に練馬で一人暮らしを始めた栗坂まりもは、とあるきっかけで隣に住むイケメングラフィックデザイナーの亜潟葉二と交流を持つようにな

ガイド 2014年に大人の文学少女を対象として創刊された、ライト文芸レーベルの富士見L文庫。2010年代以降に急増したライト文芸ものの中でも、女性をターゲットにした作品を展開する富士見L文庫は、少女小説読者とも親和性の高いレーベルのひとつといえるだろう。

　レーベル初期のヒット作であり、2018年にテレビアニメ化もされた友麻碧の〈かくりよの宿飯〉は、ライト文芸レーベルの大人気ジャンルであるあやかし物語にグルメ要素を盛り込んだシリーズだ。作中には葵の作る様々な家庭料理が登場し、素朴かつ魅力的な食べ物描写はあやかしのみならず、読者の食欲もかきたてる。葵が作る甘めで薄味な味つけはあやかし好みで、それが霊力を回復させるという設定も、料理を作る意義に説得力を加えている。食べ物描写に加えてキャラクター造形も秀逸で、人間である葵は、様々な出来事を通じてあやかしたちとの絆を深めていく。主人公の葵は、厳しい状況に置かれても持ち前の負けん気を失わないたくましいヒロインだ。謎めいた大旦那や、祖父と因縁がありその孫である葵も目の敵にする番頭の土蜘蛛、嫉妬丸出しで葵に嫌がらせをする雪女や、葵の最初期からの味方である若旦那の九尾の狐など、葵を取り巻くあやかしたちも個性的かつ憎めないキャラクターに仕上がっている。大旦那と葵のロマンス要素も楽しめる、あやかしものの良作である。

った。スーツの似合う都会的なルックスの葉二にまりもは密かに憧れていたが、彼の正体は家庭菜園に情熱を注ぐ園芸男子だった。ベランダをプランターで埋め尽くしてしまった葉二は、まりものベランダに鉢を託すようになり、気が付けば彼女も園芸趣味に巻き込まれていく。毒舌な葉二と、彼に対するツッコミが冴えるまりものコミカルなやり取りは笑いを誘い、また作中にはベランダ野菜を使った美味しそうな料理もたくさん登場する。1999年度ノベル大賞を受賞してコバルト文庫からデビューし、少女小説や〈政宗くんのリベンジ〉などの漫画原作も手掛ける竹岡は、近年はライト文芸のジャンルで活躍中だ。

no. 85

山口悟〈乙女ゲームの破滅フラグしかない悪役令嬢に転生してしまった…〉

レーベルを代表する大人気悪役令嬢もの

初刊＝一迅社文庫アイリス
第1巻刊行年＝2015年
シリーズ巻数＝既刊12巻

あらすじ 公爵令嬢のカタリナ・クラエスは転んで頭を打った拍子に前世の記憶を思い出し、この世界が前世でプレイした乙女ゲームの世界であることを知る。ゲームの中のカタリナは、主人公の前に立ちはだかるライバルキャラで、シナリオの最後には追放か死亡の不幸な結末が待ち受けている。破滅エンド回避のため、ゲームの知識を利用して作戦を練るカタリナだが、導き出される結論はいつもどこか的外れ。ところが、その破天荒な振る舞いと素直で明るい性格が人々を惹きつけ、当人にはまるで自覚がないまま、自身を取り巻く男女を相手に恋愛フラグを乱立させていくのだった。

併読のススメ 一迅社文庫アイリスでは様々な悪役令嬢ものが刊行されており、その中からやしろ慧〈皇帝陛下の専属司書姫〉を紹介したい。主人公は、前世でプレイしていた乙女ゲーム「虹色プリンセス」の悪役・パージル伯爵令嬢カノンに生まれ変わった。ゲームのヒロインで

ガイド ２００８年に創刊された一迅社文庫アイリス。レーベルを代表する人気作の〈乙女ゲームの破滅フラグしかない悪役令嬢に転生してしまった…〉（通称はめふら）は、２０１４年から小説投稿サイト「小説家になろう」で連載ののち、２０１５年に書籍化された作品である。本作はコミカライズでも人気を博すが、２０２０年のテレビアニメ放映をきっかけに大ブレイクを果たし、男女両方から支持を集めた。〈はめふら〉を例に、今や一大人気ジャンルとなった悪役令嬢ものの様式を紹介しよう。主人公が死亡し（17歳の女子高生が自転車事故で急死）、前世でプレイしていた乙女ゲームの世界（「ＦＯＲＴＵＮＥ ＬＯＶＥＲ」という作品）に転生、とあるきっかけで前世の記憶を取り戻す。自分が没落や死亡を決定づけられた悪役令嬢キャラに生まれ変わったことに気づいた主人公が、破滅ルートを回避するために奮闘するというのがこのジャンルにおける〝お約束〟だ。

〈はめふら〉の最大の魅力は、なんといってもカタリナのキュートな造形だろう。破滅ルートを回避しようと斜め上の突飛な行動を取り、公爵令嬢らしからぬその行動は結果的に男女を問わず人を惹きつけるが、本人は好意には全く気づいていない。またカタリナが繰り広げる脳内会議の場面も爆笑もので、テレビアニメの仕上がりも秀逸だった。悪役令嬢ものの入門作としてもお薦めのシリーズである。

ある異母妹を溺愛する実父から冷遇されているカノンは、破滅を回避して平穏な人生をおくるために家を出て皇都の図書館で働き始める。だが図書館で知り合った男性が皇帝と判明し、図書館館長の座と引き換えに彼の恋人を演じる契約を交わした。「虹色プリンセス」の攻略キャラは、傲慢・強欲・嫉妬・色欲・暴食・怠惰・憤怒という七つの罪の特性を持ち、ゲームのラスボスである皇帝は「憤怒」、異母妹と結婚することになった元婚約者は「傲慢」、家族の中で唯一の味方の義弟は「嫉妬」にまつわる傷を持つ。司書のお仕事もの×契約から始まるロマンス×魔法ファンタジーとして要注目のシリーズだ。

no. 86

辻村七子

〈宝石商リチャード氏の謎鑑定〉

宝石のきらめきが映し出す絆と多様性

初刊＝集英社オレンジ文庫
第1巻刊行年＝2015年
シリーズ巻数＝既刊12巻

あらすじ　大学2年生の中田正義はある夜、公園で酔っ払いに絡まれている青年を助けた。リチャード・ラナシンハ・ドヴルピアンと名乗る美貌の男は、流暢な日本語を話すイギリス人で、宝石商を商いにしているという。それを知った正義は、亡き祖母の形見であるピンク・サファイアの指輪の鑑定を依頼した。いわくつきの指輪に秘められた真相を知った正義は、リチャードに勧誘され、彼が拠点とする銀座の宝石店「ジュエリー・エトランジェ」でアルバイトを始める。リチャードの店には様々な人が訪れ、彼は宝石や人の心にまつわる様々な謎を解きほぐしていくのだった。

併読のススメ　辻村は近年の少女小説では珍しいSF系の書き手であり、この路線の作品も強く推したい。デビュー作の『螺旋時空のラビリンス』は、時間遡行機が開発された近未来を舞台にした、タイムループSFミステリー。過去の美術品を盗み出して販売する会社で働く

ガイド 宝石を通じて様々な人間模様が映し出され、そこに稀有な絆で結ばれた男たちの物語が交わり、唯一無二のきらめきが生まれる。2020年にテレビアニメ化された〈宝石商リチャード氏の謎鑑定〉は、久しぶりの少年主人公もののヒット作であり、ライト文芸レーベルとして創刊された集英社オレンジ文庫の多様性を強く印象づけた作品だった。真っすぐな性格の正義と、ミステリアスな宝石商リチャードを中心とした物語は、第1部ではオムニバス形式のジュエル・ミステリー、第2部では世界各地を飛び回る長編型のストーリー、新たにスタートした第3部では再び舞台を日本に戻して展開中である。

美しい宝石をモチーフにした個々のストーリーの面白さや、魅力的なキャラクター設定もさることながら、本作は家庭内暴力やLGBTQ、人種差別、異文化コミュニケーションなど、現代的な諸問題を物語に織り込み、真摯かつフラットな目線で問いかける作品でもある。正義とリチャードの間に築かれていく絆や、独特の熱を帯びた台詞の数々など、辻村が生み出すまばゆい世界は多くの読者を虜にしている。

辻村七子は2014年度ロマン大賞で大賞を受賞し、投稿作を改題した『螺旋時空のラビリンス』で作家デビューする。受賞作が男性主人公のSF作であり、またコバルト文庫ではなくオレンジ文庫から刊行されたことも、その後の新しい流れを予見させる出来事だった。

ルフは、盗品を持ち逃げした同僚のフォースを連れ戻すことを命じられる。彼女は19世紀パリで"椿姫"のモデルとなった娼婦になりすまし、肺病を患っているにもかかわらず頑なに帰還を拒否するのだった。また『マグナ・キヴィタス 人形博士と機械少年』は、人間とアンドロイドが共生する世界で繰り広げられる、新人調律師のエルと登録情報のない少年型アンドロイドのワンの物語。その後、同じ世界を舞台にした続編『あいのかたち』も刊行された。この二作は時代設定こそ異なるが、近未来感と懐古趣味が混在した箱庭めいた世界観や、作者の持ち味ともいえるキャラ同士の掛け合いなどに相通じる魅力がある。

no. 87

青木祐子

〈これは経費で落ちません！ 経理部の森若さん〉

経費を切り口にしたお仕事×恋愛小説

あらすじ 天天コーポレーション経理部の森若沙名子は、仕事の確かさで一目置かれている27歳。年齢＝彼氏いない歴で、きちんと働いて適切な給料をもらい、自分のためにお金を使って丁寧に暮らす今の過不足のない生活に満足していた。だが仕事一筋の同期に恋人ができたと知り、少し迷いも生まれつつある。経理部には日々各部署からの領収証が持ち込まれ、一枚の紙切れからは社内の様々な人間模様や、時には疑惑の種が浮かび上がる。沙名子は小さな違和感を手がかりに問題に切り込むが、そんな彼女に営業部のエースで年下の山田太陽がアプローチをかけるのだった――。

初刊＝集英社オレンジ文庫
第1巻刊行年＝2016年
シリーズ巻数＝既刊9巻

併読のススメ 青木祐子の少女小説時代の代表作である〈ヴィクトリアン・ローズ・テーラー〉。英国のヴィクトリア時代を舞台にした本作は、着た人の恋を叶えるドレスを作ると評判の仕立屋「薔薇色」店主のクリスと、公爵の令息・シャーロックを中心に、二人の身分違いのロ

ガイド 青木祐子の〈これは経費で落ちません！〉は、２０１５年に創刊された集英社のライト文芸レーベル・集英社オレンジ文庫を代表する人気シリーズのひとつ。シリーズは累計１９０万部を突破、多部未華子主演でテレビドラマ化もされて好評を博した。本作は、石鹸や入浴剤などで知られる中堅企業の天天コーポレーションを舞台にしたお仕事小説である。沙名子は真面目で冷静、公私を区別して社内の人間関係から距離を置こうとするが、時には面倒ごとに巻き込まれてしまう。クールさの中にも人間味が滲むチャーミングな主人公や、ややお調子ものだが沙名子に対しては誠実な太陽、経理一筋15年の先輩やケアレスミスが少し多い後輩など、天天コーポレーションに勤務する多彩な社員が登場する物語は、シリーズが進むにつれて企業小説としての面白さも増していく。

本作では沙名子と太陽の恋愛模様も描かれており、二人の距離感の変化も見どころだ。仕事はできるが奥手な沙名子と、焦らずゆっくりとアプローチしていく太陽の恋の行方も見逃せない。沙名子の地に足のついた暮らしぶりや、私生活のディテールも共感を呼び、お仕事もののカテゴリーに止まらず、広い層に訴求するエンターテインメント性を誇る。作者の青木祐子は「ぼくのズーマー」で２００２年度ノベル大賞を受賞。他作品に〈ヴィクトリアン・ローズ・テーラー〉（コバルト文庫）などがある。

マンスとドレスにまつわる事件を描く。「薔薇色」を訪れる客の姿からは、社交界の光と影が浮かび上がり、着る人を死に誘う「闇のドレス」との因縁をめぐりクリスは苦悩することになる。クリスは友人のパメラと二人で店を営んでおり、売り子や家事・経理を担う華やかなパメラの存在と、クリスとの友情も読みどころだ。労働者と貴族の身分違いの恋も大きなテーマとなり、クリスとシャーロックは様々な困難を乗り越えながら愛を育んでいく。舞台となる時代は異なるが、仕事と恋をテーマにした物語という点では〈これは経費で落ちません！〉に通じるものがある。ぜひ〈ヴィクロテ〉にも挑戦してほしい。

no.88

由唯〈虫かぶり姫〉

本好き侯爵令嬢のラブファンタジー

あらすじ 三度の飯より本が好きというエリアーナは、変わり者ばかりがいるベルンシュタイン侯爵家の令嬢。彼女は子どもの頃からドレスや宝石より本が好きで、本の虫ならぬ「虫かぶり姫」というあだ名をつけられている。エリアーナは四年前、サウズリンド王国第一王位継承者クリストファー殿下の名ばかりの婚約者に選ばれた。王立書庫室への出入りを許され、読書三昧の日々をおくるエリアーナは、ある時王子が子爵家令嬢アイリーンと親しげに話すのを目撃する。ついに王子に愛する女性が現れて、自分との婚約は破棄されると思うものの、事態は思いもよらぬ方向へ――。

初刊＝アイリスNEO
第1巻刊行年＝2016年
シリーズ巻数＝既刊7巻

併読のススメ アイリスNEOの他作品では、桃春花の〈マリエル・クララック〉も面白い。地味で存在感のない子爵令嬢のマリエルの趣味は人間観察。マリエルの素顔は腹黒系眼鏡美形が大好物なオタク少女で、周囲に埋没する特技を活かしては人間観察や情報収集を行い、それを

ガイド 一迅社文庫アイリスは、2015年にサブレーベルのアイリスNEOを創刊する。この年からオンライン小説投稿サイトの「小説家になろう」と、一迅社文庫アイリスのコラボ企画の新人賞「一迅社文庫アイリス恋愛ファンタジー大賞」がスタートし、受賞作はアイリスNEOでも書籍化されていった。なおこの新人賞はリニューアルされ、今は「アイリス異世界ファンタジー大賞」と名を変えて継続中である。四六判でウェブ小説を書籍化するアイリスNEOからは、〈虫かぶり姫〉のようなテレビアニメ化された作品の他にも、茉雪ゆえの〈指輪の選んだ婚約者〉や桃春花の〈マリエル・クララック〉などのヒットシリーズが生まれている。

〈虫かぶり姫〉のエリアーナは天然かつ恋愛音痴なヒロインで、当初は王子に対して淡々と振る舞っていた。だがアイリーンの姿を通じて、それまでは気づけなかった己の恋愛感情を自覚する様がもどかしくも可愛らしい。また物語が進む中で「サウズリンドの頭脳」と呼ばれるベルンシュタイン家の血筋にふさわしい能力を発揮し、膨大な読書に裏付けられた知識で無意識のうちに世間に貢献している様も明かされていく。聡明かつ腹黒な王子クリストファーはそんなエリアーナを溺愛中だが、彼女はあくまで自分を形式的な婚約者だと勘違いしている。本好きという設定や、ヒーローがヒロインに向ける執着や激重感情が好きな人にお薦めのシリーズである。

素材にアニエス・ヴィヴィエなる筆名で密かにロマンス小説を執筆して人気を博していた。そんなマリエルは、令嬢たちの憧れの的であるフロベール伯爵家の嫡男で、近衛騎士団の副隊長を務めるシメオンからなぜか求婚されてしまう。ポジティブなマリエルは他の令嬢からの妬みやイジメも嬉々として小説のネタにし、理想的な腹黒系眼鏡美形であるシメオンに脳内で鞭を持たせては興奮するなど、婚約者に対して日々萌えまくっていた。一方のシメオンはハイスペック美形ながら恋愛には不器用で、マリエルに振り回されていく。己の萌えに忠実なマリエルとシメオンがみせるずれたやり取りが楽しいシリーズだ。

no. 89

古宮九時（ふるみやくじ）

〈Babel〉

言葉と世界の変革にまつわる冒険ファンタジー

あらすじ 大学生の水瀬雫（みなせしずく）はある日突然、魔法が存在する異世界に迷い込んでしまう。不思議なことに雫はこの国の言葉で交わされる会話は理解できるものの、文字を読むことはできない。日本に戻る術を探す中で、雫は魔法文字を研究する風変わりな魔法士のエリクと出会った。雫の世界の文字に興味を持ったエリクは、日本語やドイツ語の知識と引き換えに、雫の旅に同行を申し出る。二人は魔法大国ファルサスを目指して旅立つが、ゆく先々で危険な事件に巻き込まれる。そして最初から言葉が通じていたことの違和感は、思いがけない形でこの世界の秘密と結びついていくのだった。

併読のススメ 電撃の新文芸からの刊行作で少女小説読者にお薦めしたい他作品として、ヤンデレ描写に定評のある染井由乃（そめいよしの）のデビュー作『傷心公爵（こうしゃく）令嬢レイラの逃避行』を紹介したい。王太子ルイスと婚約していた公爵令嬢のレイラは、事故で2年もの間昏睡（こんすい）状態となっていた。目

初刊＝電撃文庫
第1巻刊行年＝2016年
シリーズ巻数＝全4巻
書影＝電撃の新文芸版

ガイド ウェブ小説を書籍化するレーベルとして、2019年に創刊された電撃の新文芸。書き下ろしが中心の電撃文庫とは異なり、電撃の新文芸では「小説家になろう」や「カクヨム」などに発表された作品がラインナップの中心となっている。電撃の新文芸は少女小説レーベルではないものの、少女小説読者の琴線に触れるような作品も刊行されており、その代表格として〈Babel〉を取り上げる。

言葉をテーマにした珠玉の異世界ロードファンタジー〈Babel〉は、ウェブ小説として発表後に電撃文庫から第2巻まで書籍化され、その後電撃の新文芸でリブートされたシリーズである。古宮の代表作として知られ、2023年にテレビアニメが放映予定の〈Unnamed Memory〉。〈Babel〉は〈Unnamed Memory〉と同じ大陸を舞台に、その300年後の世界が描かれている。異世界なのになぜか普通に会話は通じるという異世界モノのお約束を、ただのご都合主義ではなくテーマの中心に据えて見事に描き切った壮大なファンタジー小説であり、世界の秘密が明かされていくプロセスがなんともスリリングだ。また少女小説的な観点から見ると、大国キスクの王妹で残忍なオルティアと雫の対峙が描かれる第3巻『鳥籠より出ずる妖姫』が面白い。孤立無援な異国の地で奮闘する雫の姿や、歪な魅力をたたえるオルティアの変化など、少女同士の関係性で読みどころの多い巻に仕上がっている。

覚めたその日、レイラは妹のローゼが王太子と婚約し、子どもまで身ごもっていることを知らされる。すべてを犠牲にして厳しい令嬢教育に耐えてきたレイラはたまらずに公爵家から逃げ出したところを、伝説の魔術師リーンハルトに拾われて求婚された。レイラは新たな幸せを摑みかけるが、自分がリーンハルトのかつての想い人に酷似していることに気づき、また婚約破棄したはずの王太子もレイラに歪な執愛を見せて彼女を攫って監禁するのであった——。魔術師も王太子もそれぞれの理由でレイラに執着しているが、とりわけルイスがみせる壊れ具合が突き抜けている。ヤンデレ二人とヒロインが織りなす歪な恋の物語だ。

no.90

ぷにちゃん
〈悪役令嬢は隣国の王太子に溺愛される〉

大人気ジャンル溺愛ものの代表作

あらすじ
ラピス侯爵家の令嬢ティアラローズは、卒業パーティー前日に前世の記憶を取り戻す。ここは前世でプレイした乙女ゲーム「ラピスラズリの指輪」の世界で、自分は悪役令嬢に転生してしまった。彼女は第一王子ハルトナイツから婚約破棄を言い渡されるが、その場にいた隣国マリンフォレストの王太子でラピスラズリ王国に留学中のアクアスティードが、シナリオにはない行動を取って彼女に求婚する。彼は以前からティアラローズに好意を抱き、婚約者から奪う機会をうかがっていたのである。以後アクアスティードは彼女をひたすら甘やかしていくのであった……。

初刊＝ビーズログ文庫
第1巻刊行年＝2016年
シリーズ巻数＝既刊13巻

併読のススメ
近年は溺愛と冠した作品の刊行が多く、ビーズログ文庫でも様々な溺愛ものが出ているが、ここでは二シリーズを紹介したい。翡翠の〈小動物系令嬢は氷の王子に溺愛される〉は、王太子妃の地位に興味がない伯爵令嬢リリアーナが、〝氷の王子〟ことウィリアム殿下の婚

ガイド　「小説家になろう」発のウェブ小説で、ほしなによるコミカライズをあわせて累計400万部を突破した大人気作〈悪役令嬢は隣国の王太子に溺愛される〉。本作は乙女ゲームの世界に転生する悪役令嬢ものでもあるが、位置づけとしては溺愛ものに属し、このジャンルの人気を決定づけた作品といえるだろう。なお溺愛と冠した小説の歴史を辿ると、BLや乙女系小説（TL小説）、ケータイ小説の方がより長い歴史を有している。本作のヒット以降、少女小説レーベルでも溺愛ものが急速に増えて一大人気ジャンルとして定着をみせた。

アクアスティードは「ラピスラズリの指輪」では攻略キャラにはなっていないため、ティアラローズは彼の行動を読むことができない。一方、ゲームの正ヒロインでハルトナイツと婚約するアカリもまた転生者であり、続編の内容を知っている。当初は敵対関係にあるティアラローズとアカリの関係性の変化もシリーズの読みどころだ。ティアラローズはスイーツ好きという設定で、作中には多種多様なお菓子が登場する。ここにアクアスティードからの溺愛要素が加わり、作風はどこまでも甘やかだ。第10巻では二人の間に子どもが生まれるが、妊娠をきっかけに夫はより過保護になり、二人のラブラブぶりは加速していくのである。高スペックイケメン男性から優しく甘やかされたい女性の願望に寄り添い続けているシリーズだ。

約者に選ばれてしまう物語。女性不信だったウィリアムは小動物系の魅力をたたえたリリアーナと出会って変わり、彼女を溺愛するようになる。だが王太子妃という面倒な立場から逃れたいリリアーナは婚約破棄を考えており、そんな二人のすれ違いをほのぼのタッチで描いた作品だ。また春志乃の〈記憶喪失の侯爵様に溺愛されています〉では、虐待されて育った薄幸の伯爵令嬢リリアーナが、夫の侯爵ウィリアムの記憶喪失をきっかけに、お飾りだった妻の立場から一転して一目惚れの果てに溺愛されてしまう。過保護になった旦那様と夫婦関係をやり直すラブストーリーだ。

no.91

石田リンネ〈茉莉花官吏伝〉

少女の立身出世を描くビルドゥングスロマン

初刊＝ビーズログ文庫
第1巻刊行年＝2017年
シリーズ巻数＝既刊13巻

あらすじ 後宮で働く女官の茉莉花は、見たものを完全に覚える卓越した記憶力を持つ。ある時、お見合いの練習相手を頼まれるが、その場に現れたのは皇帝の珀陽だった。茉莉花の能力に気づいた珀陽は、彼女を文官として取り立てようと科挙試験の合格を命じる。物覚えがよいだけでたびたび人から失望されてきた茉莉花は自己評価が低く、珀陽の期待にも応えられないと断るも、その才能を手放したくない皇帝は強引に太学に送り込んだ。これまでは無意識のうちに空気を読んでいた茉莉花は、様々な出来事を通じて初めて本気を出すことを覚え、その才能を開花させていく。

併読のススメ 石田リンネの他作品では、デビュー作から始まる〈おこぼれ姫と円卓の騎士〉シリーズが面白い。兄二人の王位争いから棚ぼたで次期女王に指名されたレティーツィア（通称レティ）は、世間では〝おこぼれ姫〟と呼ばれている。だが彼女はある理由で自分が将来女王にな

ガイド 皇帝に導かれて女性官吏の道を歩み出した少女の奮闘を描く石田リンネの〈茉莉花官吏伝〉。本作はポスト〈彩雲国物語〉ともいえる内容に仕上がっており、女性官吏という道が切り開かれたうえで、どのように少女が仕事と向き合い立身出世をしていくのかを問いかけている。これまでは目立たないように生きてきて、何事にも本気を出せなかった茉莉花だが、周囲の人々と関わる中で少しずつ目覚め、新たな目標に向かっていく。努力家で謙虚な少女のひたむきな軌跡を真摯かつ丁寧に綴った物語は、少女小説におけるお仕事小説の最高峰といえるだろう。白楼国の若き有能な皇帝・珀陽との関係性も少しずつ進展するが、シリーズ序盤のロマンス要素は控えめだ。より甘い物語を楽しみたい人には、スピンオフ作品の〈十三歳の誕生日、皇后になりました。〉をお薦めしたい。第2巻から登場する暁月を主役にしたスピンオフは、帝位を簒奪して赤奏国の新たな皇帝となった暁月と、偶然が重なり彼の后となってしまった13歳の少女・莉杏の物語。偽悪的な青年と、年相応に素直で可愛らしく、それでいて核心を突く賢さを持ち合わせた幼女が、赤奏国を立て直しながらゆっくりと夫婦になっていく物語である。

作者の石田リンネは、第13回えんため大賞優秀賞を受賞し、2012年に『おこぼれ姫と円卓の騎士』でデビュー。本作については併読で改めて取り上げる。

ることを知っており、水面下で準備を進めていた。ところが王の専属騎士団作りでは出遅れてしまい、優秀な臣下を集めるべく評判の騎士・デュークを勧誘するも、おこぼれ姫の愛人とは呼ばれたくないとにべもなく断られてしまう。その言葉に奮起したレティは、より一層彼が欲しくなり――。卓越した力を持つ王女が、自らの資質を周囲に認めさせていく様を描いた物語はどこまでも痛快で、やがてレティは騎士たちの協力を得て国政や外交にも腕を振るい始める。レティを筆頭に騎士王の生まれ変わりである歴代王の意識が集って語らう「王達の会議の間」の場面もユニークで、ファンタジー設定も楽しめる作品だ。

no.92

永瀬さらさ〈悪役令嬢なのでラスボスを飼ってみました〉

魔王×悪役令嬢のスリリングなラブコメ

初刊＝角川ビーンズ文庫
第1巻刊行年＝2017年
シリーズ巻数＝既刊10巻

あらすじ 公爵令嬢アイリーンは、エルメイア皇国の皇太子セドリックから婚約を破棄されたショックで前世の記憶を思い出す。ここは乙女ゲーム「聖と魔と乙女のレガリア」の世界で、自分は悪役令嬢に転生してしまった。セドリックはゲームのヒロイン・リリアを選び、この先にあるのは死だけ。破滅フラグを回避するため、アイリーンは「敵の敵は味方」戦法をとり、セドリックの異母兄でゲームのラスボスとなる魔王クロードが暮らす廃城へ向かう。城に押しかけたアイリーンは、自分と結婚すれば魔王も魔物も守ってみせると宣言し、彼らを懐柔しようと様々な行動を仕掛けていく。

併読のススメ 〈悪役令嬢なのでラスボスを飼ってみました〉同様、「小説家になろう」で連載ののちビーンズ文庫で書籍化されて人気を博している永瀬作品が、〈やり直し令嬢は竜帝陛下を攻略中〉だ。実の妹とデキていた婚約者の王太子ジェラルドから処刑を言い渡された16歳の令

ガイド ビーンズ文庫でも数多くの悪役令嬢ものが刊行されているが、コミカライズやテレビアニメ化でも人気を博しているのが〈悪役令嬢なのでラスボスを飼ってみました〉だ。作者の永瀬さらさは第11回角川ビーンズ小説大賞奨励賞&読者賞を受賞し、『精霊歌士と夢見る野菜』にてデビュー。「小説家になろう」に連載した本作が出世作となった。

主人公のアイリーンは魔王にプロポーズをする大胆な行動力と知力を兼ね備えたヒロインで、周囲に媚(こ)びずに主体的に行動する様がなんとも格好いい。王位継承権を手放して魔物たちと共に孤独に暮らすクロードは一見恐ろしげだが、嬉しい時は花を咲かせ、動揺しては雷を落とすなど天候の変化で感情が筒抜けなのがなんとも愛らしい人物だ。当初はアイリーンを邪険に扱うものの、いつしか彼女の魅力に巻き込まれ、魔王も彼の部下たちも少しずつ人間に信頼を寄せていく。アイリーンが「あなたを飼います」と魔王を口説き、クロードは「君を泣かせてみたくなった」と反撃するなど、ラブコメとしても爽快かつ痛快な作品である。二人を取り巻くキャラクターもユニークで、アイリーンにしびれ薬を盛られてしまうカラスのアーモンドを筆頭に、魔物たちの造形がなんとも可愛らしい。また当初はアイリーンを陥れる腹黒なリリアが、シリーズが進むにつれて思いがけない変化を見せていくのも読みどころのひとつとなっている。

嬢ジルは、死ぬ間際に時間遡行し、婚約が決まった六年前のパーティーまで人生が巻き戻ってしまう。破滅ルートを避けようとジルは別人に求婚するも、相手は〝竜帝〟といわれる隣国の若き皇帝ハディスで、彼は将来闇落ちする運命にあった……。10歳の幼女まで戻って二度めの人生をやり直し中のジルは、〝軍神令嬢〟と恐れられるほど強い魔力の持ち主で、バトルシーンでは男前な勇姿をみせる。一方のハディスは料理上手でジルの胃袋を摑(つか)んでしまうなど、様々な場面でみせるギャップが楽しい。戦う女性主人公ものとしても、19歳と10歳の年の差カップルものとしてもお薦めのシリーズである。

no.93

白川紺子〈後宮の烏〉

夜伽をしない特別な妃をめぐる中華幻想譚

あらすじ　霄国の後宮の奥深くには、夜伽をすることのない〈烏妃〉と呼ばれる特別な妃がいた。不思議な術を使い、呪殺から失せ物さがしまで引き受けてくれるという烏妃を、時の皇帝・高峻はとある目的のために訪れる。姿を現した烏妃は、金色の化鳥を従えて古風な喋り方をする、柳寿雪という名の少女だった。最初は皇帝を追い返すものの、食べ物で丸め込まれてしまった寿雪は、翡翠の耳飾りに取り憑いた幽鬼を救う。後宮で起きる事件を通じて次第に〝友〟として心を通わせていく寿雪と高峻だが、この出会いによって隠されていた真の歴史が暴かれていくのであった――。

初刊＝集英社オレンジ文庫
第1巻刊行年＝2018年
シリーズ巻数＝既刊7巻

併読のススメ　近年の集英社オレンジ文庫では、往年のコバルト読者の心にも刺さるようなファンタジーが続々と刊行されている。西洋ものでは、仲村つばきの『廃墟の片隅で春の詩を歌え』から始まる〈廃墟〉シリーズが面白い。革命により王政が倒れ、廃墟の塔に幽閉された王女の魂

ガイド　ある時期以降の集英社オレンジ文庫では、ファンタジー小説の勢いが増し、ラインナップにより一層の広がりが生まれていった。その先駆けとなったのが、2018年からスタートした白川紺子の〈後宮の烏〉である。シリーズ累計は120万部を突破、2022年10月からはテレビアニメがスタートと大ヒット中の本作は、現在のオレンジ文庫を象徴する人気作といえるだろう。

烏妃とは、夜と万物の生命をつかさどる女神・烏漣娘娘に仕えた巫婆の末裔だとされている。なぜ烏妃は一人でいるよう強いられ、後宮に閉じ込められているのか。幽鬼にまつわる謎解きから始まった物語は、霄国の秘められた真の歴史や人の世と神々の因縁など、壮大なスケールへと広がりをみせる。後宮小説と聞いてイメージされるきらびやかさとは趣の違う、陰りと寂寥感を帯びた美しい筆致は、多くの後宮ものと一線を画す空気感をまとっている。主人公の寿雪は一見すると冷たいが、本当は心が優しく、困っている人や幽鬼を放っておけない性格だ。高峻との出会い以降、寿雪の周りには彼女を慕う女官や宦官、妃たちが集っていく。人の温かさを知った寿雪の変化や、先代烏妃との絆も本作の大きな読みどころである。作者の白川紺子は2012年度ロマン大賞を受賞し、『嘘つきなレディ　五月祭の求婚』（コバルト文庫）でデビュー。他の作品に〈下鴨アンティーク〉（オレンジ文庫）などがある。

の目覚めと戦いを描く物語は、イルバス国をめぐる重厚なヒストリカルロマンへと花開く。久賀理世の〈王女の遺言〉は、同じ姿をしながら別々の道を歩んできた「王女」と「物乞い」を中心とした身代わり陰謀劇。こちらもヒストリカル好きにお薦めだ。瑚池ことりの〈リーリエ国騎士団とシンデレラの弓音〉は、優秀な騎士を輩出する村に生まれた小柄で剣を扱えない落ちこぼれの少女が、弓の才能を見出されて騎士団で活躍する物語。少女の成長譚としても王道の面白さを誇る。和ものでは、奥乃桜子の古代和風ファンタジー〈神招きの庭〉が独自の世界を作り上げており、注目のシリーズである。

no.94

顎木あくみ〈わたしの幸せな結婚〉

帝都を舞台にした和風シンデレラストーリー

初刊＝富士見L文庫
第1巻刊行年＝2019年
シリーズ巻数＝既刊6巻

あらすじ 異能の名家・斎森家に生まれながら能力を受け継がなかった美世は、継母と異母妹に苛めぬかれ、使用人以下の扱いを受けていた。食事も満足に与えられずやせ細り、ぼろぼろの古着しか与えられない美世は、すべてを諦めながら生きている。異母妹の結婚が決まり、美世は家を追い出されるように久堂家当主・清霞に嫁がされた。久堂家は異能の頂点に立つ家だが、清霞は冷酷無慈悲な人物として知られ、大勢の婚約者候補が三日ともたずに逃げ出している。初対面の清霞から辛く当たられた美世だが、同じ家で暮らすうちに、彼が冷たいだけの人ではないことに気づくのだった。

併読のススメ 〈わたしの幸せな結婚〉のヒット以降、近代日本を題材にした和風ファンタジー小説が増えている。同じ富士見L文庫作品では、明治レトロ×あやかしの道草家守〈龍に恋う〉が注目作。妖怪を惹きつけやすい少女・珠は勤め先で怪異が起こるたびに馘になる。行き場を

ガイド 日本と西洋の文化が入り交じる明治・大正期をモチーフに、和風シンデレラストーリー×異能ファンタジーを展開する〈わたしの幸せな結婚〉。薄幸の美世と美貌の清霞を中心とした物語は、不幸せな少女が幸せを摑むという王道ラブロマンスに異能バトル要素を織り込むことで、独自の世界を築いている。当初は美世に辛く当たる清霞だが、これまでの婚約者候補とは異なる令嬢らしからぬ様子を気に留め、やがて彼女の痛ましい境遇を知ることになる。少しずつ心を通わせながら距離を縮める美世と清霞のもどかしくも甘い関係が、本作最大の読みどころだ。美世は事あるごとに自分を卑下して卑屈に振る舞うが、清霞に愛されることで少しずつ変わり、芯の強さを発揮するようになる。嫁ぎ先で安らぎを見出し、愛されることで花開いて成長をみせる彼女の姿は、大きなカタルシスをもたらす。美世の実母は強い異能を持つ薄刃家の出身で、美世の隠された力も徐々に明らかになる。シリーズが進む中で異能にも焦点があたり、ファンタジー要素や異能バトルも掘り下げられていくのが見逃せない。
〈わたしの幸せな結婚〉は現在の富士見L文庫の看板作品で、高坂りとによるコミカライズも含め、シリーズ累計は550万部を突破した。2023年から放映のテレビアニメの他、実写映画の制作も決定しており、今後さらなる注目を集めていくだろう。

なくした彼女の窮地を救ったのが、口入れ屋の旦那・銀市だった。生贄として育てられた不幸な珠と秘密を抱えた銀市が心を通わす様や、個性的なあやかしたちとの交わりが見どころとなっている。メディアワークス文庫の梅谷百『天詠花譚 不滅の花をきみに捧ぐ』は、明治24年を舞台にした魔法×スパイ小説。敵国の女スパイ蓮花と心優しき名家の青年宗一郎が運命の出会いを果たし、魔法を通じて手を取り合いながら共に運命を切り開く。劣悪な労働環境で知られる製糸工場が登場し、女工たちの職場を改善すべく力をあわせて魔法道具を開発するなど、史実に基づきながら問題提起を行う視点もユニークだ。

no.95

山田桐子〈引きこもり令嬢は話のわかる聖獣番〉

もふもふ成分満載の聖獣ラブコメディ

あらすじ

伯爵令嬢のミュリエルは人付き合いが苦手な引きこもり。心配した家族は一計を案じ、王宮付きの図書館司書として出仕させることにした。ところがミュリエルが連れていかれたのは獣舎だった。彼女は手違いで、今は亡き神獣である竜の血をひく〝聖獣〟の世話をする聖獣番の面接を受けていたのである。面接を担当したサイラス団長は色気がダダ漏れのイケメンで、強面な巨大ウサギのアトラや、オネエ口調で喋るイノシシのレグを筆頭に、聖獣たちも癖の強い面々が集まっていた。聖獣の言葉がわかるミュリエルは、個性的な聖獣や団長に可愛がられながら仕事に励む。

初刊＝一迅社文庫アイリス
第1巻刊行年＝2019年
シリーズ巻数＝既刊6巻

併読のススメ

一迅社文庫アイリスで幻想的な生物が印象的な作品として、織川あさぎの竜づくしのラブファンタジー〈竜騎士のお気に入り〉を紹介したい。物語の舞台は、竜と契約を結んだ竜騎士が活躍するイヴァルト王国。王城の侍女見習いのメリッサは竜が大好きで、竜騎士隊

ガイド 小説のメディアミックスとして最もポピュラーなのが、コミカライズという手法だろう。一迅社には『コミックZERO-SUM』という漫画雑誌があり、また2011年には「ゼロサムオンライン」という無料のオンラインマガジンも立ち上げられた。一迅社文庫アイリスやアイリスNEOの作品は、これらの媒体でコミカライズされることでより幅広い読者層を獲得しているのである。一迅社作品のみならず他社のシリーズもコミカライズされているので、漫画好きはぜひチェックしてほしい。

山田桐子の〈引きこもり令嬢は話のわかる聖獣番〉も、コミカライズが好調なシリーズのひとつ。なぜだか聖獣たちと意思疎通ができる人見知りのミュリエルが、聖獣との絆を深めながら、無自覚に色気をダダ漏れさせる残念系イケメンのサイラスと恋を育んでいく。愛嬌に溢れた聖獣たちの造形がなんとも印象的で、ツンデレなウサギのアトラに、心が乙女のイノシシ・レグ、誇り高いタカのクロキリ、卑屈なオオカミのスジオ、愛嬌に溢れるモグラのロロとミュリエルがみせる掛け合いが楽しい。ミュリエルを取り巻く他の聖獣騎士団員も、見目麗しい男装の麗人だがセンスが独特なレインティーナや、聖獣を研究している学者のリーン・クーンと個性豊か。一筋縄ではいかない聖獣や団員を相手に奮闘を続けるミュリエルを応援したくなる、もふもふ度の高いラブコメだ。

長のヒューバードに憧れている。だが兄が急死したため、ヒューバードは故郷に戻って辺境伯の爵位を継ぐことが決まった。落ち込むメリッサにヒューバードは思いがけない仕事を依頼する。その仕事とは屋敷での竜の接待と、ヒューバードの妻の座を狙う女性を追い出すために恋人役を演じることだった――。作者のドラゴン愛が伝わる設定や描写が絶妙で、気高い白竜の「白の女王」や、竜の頂点に立つやんちゃな子どもの「青の竜」など、それぞれ特徴のある竜たちとメリッサが紡ぐ絆が温かい。10歳年齢が離れたメリッサとヒューバードが少しずつ距離を縮める、じれじれなロマンスが微笑ましいシリーズだ。

no.96

宮野美嘉

〈蟲愛づる姫君〉

蟲を溺愛する姫と壊れた王様の歪んだ婚姻譚

あらすじ 壺に百の毒蟲を入れて喰らいあわせ、最後に残った蟲を用いて人を呪い殺す術者を蠱師と呼ぶ。強大な斎帝国の第十七皇女・李玲琳は、皇女でありながら母から蠱術を受け継いだ蠱師で、蟲を溺愛する風変わりな姫だった。蠱毒でおぞましい蟲を生成してはうっとりと愛でる玲琳は化け物扱いされ、人々から忌み嫌われている。玲琳は最愛の姉である女帝・彩蘭の指示で、新興国である魁国の王・楊鍠牙に嫁ぐことが決まる。蠱毒を操る蠱師であり、姉以外の人間にまるで興味をもたない玲琳と、嘘の笑顔の下に毒を隠し持った鍠牙の政略結婚から始まる夫婦関係は前途多難だった。

初刊＝小学館文庫キャラブン！
第1巻刊行年＝2019年
シリーズ巻数＝全11巻

併読のススメ 〈蟲愛づる姫君〉の作風が気に入った人は、ぜひ宮野美嘉のデビュー作から始まる〈幽霊伯爵の花嫁〉（ルルル文庫）にも挑戦してほしい。侯爵家の血をひく美少女サアラは、墓守が家業で幽霊伯爵と呼ばれているコルドン伯爵の17人目の妻として嫁がされた。夫となるジェイクは仮面のように無表情な男で、妻には一切関心を示さず、おまけに毎夜彼女の部屋には幽霊が現れる。それでもサアラはのびのびと振る舞い、ジェイクを好きになろうと彼に近づき、屋敷の人たちを翻弄していくのであった。壮絶な過去を持ちながらも矜持と自尊心を失わないサアラと、行き場のない幽霊たちをまじないで墓地に閉じ込めるため、感情を押し殺して墓地を守ってきたジェイクは少しずつ距離を縮めていく。「私にとっての幸せとは、私が私であることを後悔しないということです」と言い切るサアラの姿は、宮野作品の最大の魅力である、美しくて強かなヒロイン像の原点といえるだろう。

ガイド ルルル文庫は2016年に幕を閉じ、小学館はその後に新しい少女小説レーベルを立ち上げず、一部作家は2018年に創刊されたライト文芸レーベル「小学館文庫キャラブン!」に活動の場を移した。第5回小学館ライトノベル大賞ルルル文庫部門ルルル賞を受賞し、2011年に『幽霊伯爵の花嫁』でデビューした宮野美嘉も、現在は小学館文庫キャラブン!を中心に活躍する作家のひとりである。レーベルを代表する人気シリーズの〈蟲愛づる姫君〉は、ルルル文庫時代の宮野の作風を踏襲しながら、より一層パワーアップした世界を展開する。

一筋縄ではいかないヒロインの設定や、歪んだ執着の描写に定評のある宮野だが、〈蟲愛づる姫君〉のメインキャラクターは皆強烈で、枠を外れた人物しか登場しない。蟲であれ人間であれその者が持つ〝毒〟をこよなく愛する玲琳や、明るく飄々と見えて病みまくりな鍠牙を筆頭に、歪んだ愛情を抱えたキャラたちが織りなす物語の突き抜けた毒々しさが痛快だ。蟲を愛し、我が道を突き進む玲琳は当初は変人筆頭に思えるが、巻を重ねるごとにまともに見えてくるところからも本作の末恐ろしさがうかがえよう。中でも鍠牙のヤンデレは圧巻で、第5巻の『蟲愛づる姫君の永遠』のヤンデレっぷりは必見。玲琳と鍠牙の歪な絆で結ばれた、奇妙奇天烈な夫婦関係も面白い。人気の中華ファンタジーの中でも、とびきりユニークなシリーズである。

no.97

恵ノ島すず〈ツンデレ悪役令嬢リーゼロッテと実況の遠藤くんと解説の小林さん〉

実況と解説で干渉する悪役令嬢ものの変化球

初刊＝カドカワBOOKS
第1巻刊行年＝2019年
シリーズ巻数＝全2巻＋後日譚1巻

あらすじ 学園の中庭でジークヴァルト王太子は突然、神の声を聴いた。神の言葉によると、目の前で剣呑な雰囲気をまとっている婚約者のリーゼロッテは「ツンデレ」で、好意を素直に示せずにいるものの内心では彼のことが大好きなのだという。実は、この神々の正体は人気乙女ゲーム「マジカルに恋して」をプレイ中の高校生、遠藤くんと小林さん。なぜかゲームの世界に声が届くようになった二人は、ツンデレなリーゼロッテの心情をジークに実況・解説することで、悪役令嬢としての不幸な運命から彼女を救い出し、ゲームのシナリオを超えた最高のハッピーエンドを目指そうとする。

併読のススメ カドカワBOOKSの他作品として、テレビアニメ化された橘由華の〈聖女の魔力は万能です〉を紹介したい。20代OLの小鳥遊聖（セイ）は、ある日突然「聖女召喚の儀」で異世界に召喚されてしまう。ところが聖女として呼び出されたのは、セイとアイラの二人だっ

ガイド　カドカワBOOKSは2015年に創刊された四六判のレーベル。〝WEB発の才能がここに集う！〟というキャッチコピーの通り、「小説家になろう」や「カクヨム」などのウェブ小説投稿サイトの作品を主に書籍化するレーベルだ。

　少女小説読者向けとして取り上げる〈ツンデレ悪役令嬢リーゼロッテと実況の遠藤くんと解説の小林さん〉は、いわゆる「悪役令嬢もの」に分類される作品である。だが他作品のように、〝生前プレイしていた乙女ゲームの世界に転生する〟というお約束を踏襲せず、現実世界からゲームに干渉して破滅ルートを回避するという一捻りが効いた設定が目新しい。放送部に所属する遠藤くんは想い人である小林さんに布教され、「マジカルに恋して」をプレイするうちに「神の声」としてゲームに関与できることに気づく。小林さんの推しキャラであるリーゼロッテ（リゼたん）をバッドエンドから救うため、二人はジークヴァルト王太子にツンデレなリーゼロッテのツンを懇切丁寧に実況&解説することで、すれ違いを回避しようとするのだ。ダダ漏れになるリゼたんの本音がなんとも可愛らしく、読者も思わずジークヴァルトと一緒に悶えてしまうだろう。現代とゲーム内の恋が交錯しながら進むストーリーも秀逸で、変わり種の悪役令嬢ものとしてお薦めだ。逆木ルミヲによるコミカライズも人気が高く、2023年からテレビアニメもスタートした。

た。第一王子はアイラだけを聖女として扱い、無視されたセイは王宮を飛び出して薬用植物研究所にて研究員として働き始める。セイは聖女の肩書を隠して仕事をしているが、彼女が作るポーションも化粧品も料理も効果が五割増しで、常識外れの魔力で皆の頼みを叶えるうちに聖女疑惑が大きくなってしまい――。聖女ではなく一般人として異世界スローライフをおくりたいと望むセイが、人を助けるためにチート級の魔法を発動してしまう姿がなんとも痛快で、逆ハーレム・異世界転生・チートという人気要素を盛り込んだテンポのよいストーリーは、読者が心地よく読み進められる仕上がりになっている。

no.98

クレハ〈鬼の花嫁〉

鬼に溺愛される少女の和風ファンタジー

あらすじ 大きな戦争を経て、人間とあやかしが共生するようになった日本。絶大な権力を持つあやかしたちは、時に人間の中から唯一無二の花嫁を見つけ出す。花嫁になることは人間にとって名誉であり、とりわけ見目麗しくて地位の高い鬼の花嫁は女性の憧れだった。平凡な高校生・柚子は妖狐の花嫁に選ばれた妹と比べられ、家族にないがしろにされながら育ってきた。しかしある日、あやかしの頂点に立つ鬼の鬼龍院玲夜の花嫁に選ばれたことで運命が一変する。玲夜から注がれる愛に戸惑いながらも、柚子は家族のもとから逃れ、新たな居場所を見出していく――。

初刊＝スターツ出版文庫
第1巻刊行年＝2020年
シリーズ巻数＝既刊6巻

併読のススメ 近年のスターツ出版文庫のヒット作である汐見夏衛の『あの花が咲く丘で、君とまた出会えたら。』は、TikTokで紹介された商品が爆発的に売れる「TikTok売れ」でブレイクした作品だ。２０１６年刊行の小説が四年後にTikTokで話題になり、約一年で19・1万部

ガイド ケータイ小説の投稿サイト「野いちご」や「Berry's Cafe」を運営するスターツ出版は、2015年にライト文芸レーベルのスターツ出版文庫を創刊する。創刊タイトルのひとつである沖田円の『僕は何度でも、きみに初めての恋をする。』は累計部数24万部を突破し、以後もレーベルからコンスタントに人気作が生まれている。2019年には「ノベマ!」という、ライト文芸を中心にした小説投稿サイトも立ち上げられた。世間的なスターツ出版に対する認識は、『恋空』などの第二次ケータイ小説ブームで止まっている場合が多い。だがスターツ出版はその後も発展を続け、一過性のブームでは終わらない展開をみせていることを指摘したい（なお従来のケータイ小説の路線は、ケータイ小説文庫から引き続き書籍化されている）。

近年のスターツ出版文庫では少女小説やライト文芸路線の作品も多く、その代表例といえるのがクレハの〈鬼の花嫁〉だろう。家族に虐げられて育った不憫な少女が、鬼に見初められて溺愛され、少しずつ人を信じるようになって自らの過去を乗り越える。溺愛要素の入った和風ファンタジーであり、柚子の心の成長を描いたシンデレラストーリーとしても王道な手堅さがある作品だ。小鬼や猫又など愛嬌に溢れたあやかしや、腐女子属性が露見する某キャラなど、脇を固めるキャラも個性豊かに仕上がっている。

を突破。続編『あの星が降る丘で、君とまた出会いたい。』もあわせてシリーズ累計部数が30万部を超えるヒットとなった。主人公の百合は、学校や親など自分を取り巻くすべてに苛立っている中学2年生。母親とケンカをして家を飛び出して防空壕に入り、目を覚ますとそこは70年前の終戦直前の日本だった。偶然通りかかった彰に助けられ、徐々にその優しさに惹かれていくが、彼は特攻隊員で——。1945年にタイムリープした百合は、現代とは価値観の異なる極限状態を生きることで大きな成長を遂げていく。戦時下に生きる特攻隊員との純愛を描いた作品である。

no.99

ひずき優

〈乙女ふたり 王女と聖女の宮廷戦記〉

数奇な運命を辿る聖女と王女のヒストリカルドラマ

あらすじ 異教徒から国を守った乙女の伝説と、奇跡の印の聖母旗が眠るオルファラン王国の聖地アレラテ。病弱な養母と暮らすリクテルは、悪い大人に追われる訳ありの少女ルヴィを数日匿った。それから五年。リクテルは隣国イリリアに攻め込まれた町をひょんなことから救い、新しい旗の乙女として聖女に祭り上げられてしまう。一連の騒動の最中、リクテルは「氷の王女」の異名を持つ王女エルヴィラと出会うが、彼女はかつてリクテルが助けた少女だった。エルヴィラの力になりたいと願うものの、リクテルは陰謀渦巻く王宮で彼女と敵対するアウグスト王子の陣営に取り込まれていく。

初刊＝集英社eコバルト文庫（電子オリジナル）
第1巻刊行年＝2021年
シリーズ巻数＝既刊5巻

併読のススメ eコバルト文庫・電子オリジナル作品では、往年の人気シリーズの新巻も刊行されている。1999年から2005年まで刊行された響野夏菜の〈東京S黄尾探偵団〉の最新作〈東京S黄尾探偵団 しましま日和〉は、高校卒業後のエピソードも盛り込んだ短編集だ。通

ガイド　コバルト文庫の母体雑誌『Cobalt』は2016年に休刊となり、2019年には紙での新刊発売も停止された。レーベルは存続して電子オリジナル作品は展開されているものの、長い歴史を有するコバルト文庫の縮小は多くの人に衝撃を与えた。現在はオレンジ文庫にコバルト的なファンタジーが引き継がれているが、電子オリジナルにも注目すべき作品があり、その筆頭として〈乙女ふたり〉を紹介したい。

幼い頃に出会い、束の間の友情を育んだリクテルとルヴィ。だが再会を果たした時、リクテルは救国の聖女に祭り上げられ、国王の私生児として冷遇されていたエルヴィラも、戦で輝かしい戦績をあげて有力な王位継承者となっていた。数奇な運命を辿る聖女と王女の姿を描いたドラマチックな物語は、「戦記」のタイトルに相応しいハードな展開をみせていく。作中でリクテルの立場は二転三転し、一介の市民から聖女、王子の婚約者から王の暗殺容疑者へと激変する。当初は流されるまま政治の駒となっていたリクテルだが、数々の苦難を経たのち自らの意志でエルヴィラのために動き出すことを決意する。一方のエルヴィラは他人行儀に振る舞うが、それはリクテルを王位継承争いに巻き込みたくなかったから。冷酷非道な性格として知られるエルヴィラの胸の内には、リクテルへの優しさや想いが秘められている。電子オンリーゆえに知名度は低いが個人的一押し作品だ。

信制の黄尾高校の保健室に支部を置く探偵兼ギャング団のイエローテールは、所長から社員、アルバイトに至るまで全員が黄尾高生で構成されている。「ずるい・きたない・あくどい」をモットーに活動するイエローテールに属す、様々なバックグラウンドを持つ個性溢れるメンバーの絆は、高校卒業後も途切れることはない。21歳になった天野行衡は、ヨーロッパの小国・スティラニ公国でシェフの修業中。行衡からの電話で繋がる探偵団の面々を辿る「ナイト・コール」や、所長・慈吾朗の思いつきでスティラニ公国に現れた探偵団が巻き起こす騒動を描いた「夏休みだヨ、全員集合!」など、ファン感涙の短編集だ。

no. 100

春奈恵

〈作家令嬢と書庫の姫 オルタンシア王国ロマンス〉

王女と女官の主従コンビが魅せる王宮陰謀活劇

初刊＝ウィングス文庫
第1巻刊行年＝2021年
シリーズ巻数＝全4巻

あらすじ 小説を書くのが趣味の貧乏貴族の娘アニアは、金持ちに嫁がせようとする浪費家の両親から逃れ、オルタンシア王国第一王女リザの女官として王宮仕えを始めた。ところがリザは型破りな姫で、書庫に住み着いて呼びかけにも応じない。アニアは自作の恋愛小説を使って見事彼女を書庫から連れ出し、これをきっかけに変わり者の王女と女官は意気投合する。アニアの祖父は先代国王時代に宰相を務めて切れ者としてその名を馳せていたが、王位継承をめぐる内乱で失脚した。優秀な祖父の面影がちらつくアニアと聡明で読書好きな王女のコンビは、王宮に潜む様々な陰謀に挑む。

併読のススメ 近年のウィングス文庫の女性主人公小説として、和泉統子の異文化ギャップコメディ×中華風退魔ものの『敵国の捕虜になったら、なぜか皇后にされそうなのですが!?』を紹介したい。両親を亡くして六人の弟妹を養うリランは、グラン・アーク共和国の人食い化け

ガイド 1988年に女性向けSF&ファンタジーメインの小説誌として創刊された『小説ウィングス』は、2021年12月号をもって休刊した（また雑誌の休刊後、毎月10日に更新される全話無料の「WEB小説ウィングス」が立ち上げられる）。新人賞であるウィングス小説大賞も2016年の第47回を最後にすでに募集が終了しており、改めて近年の少女小説を取り巻く厳しい状況が浮き彫りとなった。
〈作家令嬢と書庫の姫 オルタンシア王国ロマンス〉は、ウィングス小説大賞出身の春奈恵の初文庫作品。あとがきにあるように、作者は平安時代の中宮定子と彼女の女房として仕えた清少納言の関係から本作を着想したという。主人公のリザとアニアは共に聡明かつ行動力に溢れた少女で、そんな二人がみせる友情や信頼関係、互いの手を取り合いながら奮闘する姿が魅力的なシリーズだ。書庫の姫と作家令嬢の主従コンビは、王家の事情や貴族たちの権力争い、さらには隣国の王位継承問題など国内外にまつわる陰謀に立ち向かう。そこにアニアの理解者で王太子付き武官として働く従兄のティムや、一見無愛想なリザの兄で王太子のリシャールとのロマンス要素も絡んでいく。リシャールはアニアの恋愛小説『貴公子エルウッドの運命』を密かに愛読しており、外見や立場とのギャップが笑いを誘う。少女小説の楽しさを思い出させてくれる宮廷ガールズ・ストーリーだ。

物オーガーを討伐する聖騎士団の一員だった。ある時リランは、聖騎士団が負った借金のかたとして仮想敵国・輝陽皇国の捕虜となる。ところがなぜか厚遇され、皇帝・大樹の妃として後宮へ連れていかれた。輝陽では皇子をオーガーの生贄に捧げて安寧を保っており、リランの所属を知った大樹は化け物の斃し方を教えてほしいと頼むが——。リランは当初は大樹を拒絶するが、彼の壮絶な過去や家族に対する思いを知って心を動かされ、オーガー討伐のために行動を起こしていく。徹底した弟キャラの皇帝ヒーロー×姉属性のヒロイン（だがやや落ち着きに欠けて心の声が騒がしい）による、キュートなラブコメだ。

Column

日本の少女小説史5

2010年代から現在まで

2010年前後を境に、少女小説の中で「姫嫁もの」と呼ばれるジャンルが広がりをみせた。姫嫁ものとは名前の通り、主人公の属性が姫でありかつ嫁でもある作品を指し、政略結婚をした夫婦が少しずつ距離を縮めて心を通わすストーリーが定番となっている。

少女小説の歴史の中で、主人公が「姫」という設定自体は以前からの王道であり、特別目新しいものではない。だがこの時期はそこに「嫁」という要素も加わって、政略結婚から始まる夫婦の愛を描いた物語が急増した。2007年にビーズログ文庫で刊行された小野上明夜（おのがみめいや）の『死神姫の再婚』は、この時期における姫嫁ものの代表的な作品の一つである。コバルト文庫では、2008年発売の小田菜摘（おだなつみ）『そして花嫁は恋を知る』シリーズが、同レーベルにおける姫嫁ものの流れを生み出した。さらにコバルトの新人賞出身のはるおかりのも、中華後宮をモチーフに政略結婚から始まる夫婦の物語を多数手掛けており、代表作である『後宮史華伝』シリーズは架空の凱帝国を舞台にした中華寵愛譚として人気を博している。

2010年代における少女小説の重要な動向として、ウェブ小説の書籍化の流れが挙げられる。ウェブ小説とはオンライン上で発表された小説のことを指し、黎明期における個人サイトでの連載を経て、その後は「小説家になろう」などのプラットフォームでの発表が主流となった。ウェブ小説の書籍化から次々とヒット作が生まれ、その流れは少女小説にも及んでいく。

ウェブ小説を積極的に展開しているレーベルの一つが一迅社文庫アイリスである。2012年からラインナップの中にウェブ小説発の作品が登場し、2014年頃からその数が増加した。レーベルを代表する人気作の山口悟(やまぐちさとる)『乙女ゲームの破滅フラグしかない悪役令嬢に転生してしまった…』(以下『はめふら』)も、「小説家になろう」に連載されていたウェブ小説で、本作は2020年のテレビアニメ化をきっかけに大ブレイクを果たす。『はめふら』は、生前にプレイしていた乙女ゲームの悪役令嬢に転生してしまった主人公が、破滅フラグを回避するために奮闘するという、「悪役令嬢もの」と呼ばれるジャンルの代表的作品の一つとしても知られている。悪役令嬢ものは今や女性向けコンテンツでは一大人気ジャンルとして定着し、近年は男性向け作品にも登場するなど、大きな広がりをみせている。

一迅社文庫アイリスは２０１５年にサブレーベルのアイリスＮＥＯという、四六版でウェブ小説を書籍化するレーベルも立ち上げた。２０２２年にテレビアニメ化された由唯の『虫かぶり姫』は、本好き令嬢の勘違いラブファンタジーを描いたアイリスＮＥＯを代表する作品の一つである。

ビーンズ文庫も早い段階からウェブ小説の書籍化に乗り出し、様々な作品が刊行されているが、ここでは２０２２年にテレビアニメ化された永瀬さらさの『悪役令嬢なのでラスボスを飼ってみました』を取り上げたい。永瀬さらさはビーンズ文庫の新人賞出身で、「小説家になろう」に連載した『悪役令嬢なのでラスボスを飼ってみました』の書籍化で人気を博した書き手である。近年のビーンズ文庫では、新人賞受賞作の作品よりもウェブ小説の書籍化にヒット作が多く、ここからもウェブ小説の勢いがうかがえる。

なおビーンズ文庫では、他レーベルではあまり成功しなかったボカロ小説でもヒット作が誕生した。ボカロ小説とは、ヤマハの歌声合成技術ＶＯＣＡＬＯＩＤを使用した楽曲の世界観を小説化したものと定義されるジャンルである。現在のビーンズ文庫の主力作品の一つである『告白予行練習』シリーズは、女子中高生から絶大な人気を誇るHoneyWorksという創作ユニットの楽曲をモチーフにした作品群だ。2014年発売の『告白予行練習』を皮切りに、以後も高校生たちの切ない恋模様を描いた青春群像劇として展開中で、現在の少女小説では少なくなった女子中高生読者をターゲットにした学園恋愛小説のヒット作である。

2010年代のビーズログ文庫では、新人賞出身の石田リンネによる『茉莉花官吏伝』という中華風お仕事シンデレラストーリーがヒット中だが、他作品をみるとウェブ小説のヒットが目立つ。中でもぷにちゃんの『悪役令嬢は隣国の王太子に溺愛される』は、コミカライズをあわせて累計400万部を突破した人気作だ。悪役令嬢のティアラローズが隣国の王太子アクアスティードに溺愛されるというストーリーで、近年の少女小説では本作のように、「溺愛」というワードを打ち出してヒロインがヒーローに甘やかされる作品も多数刊行され、人気が高いジャンルとなっている。

2015年前後からライト文芸と呼ばれる、一般文芸とライトノベルの中間に位置するレーベルが次々と創刊された。中でも２０１４年に創刊された富士見Ｌ文庫は少女小説読者とも親和性が高く、あやかし×ごはん小説が人気の友麻碧の『かくりよの宿飯』や、ウェブ小説発の明治大正風シンデレラストーリーで、テレビアニメ化と実写化も決定した顎木あくみの大ヒット作『わたしの幸せな結婚』など、魅力的なシリーズで女性読者の心を摑んでいるレーベルである。

集英社も２０１５年に、オレンジ文庫という新たなライト文芸レーベルを立ち上げた。オレンジ文庫のヒット作としては、テレビドラマ化された青木祐子のお仕事小説『これは経費で落ちません！』シリーズや、テレビアニメ化された辻村七子の少年主人公もののジュエルミステリー『宝石商リチャード氏の謎鑑定』、同じくテレビアニメ化されて大ヒット中の白川紺子の中華幻想譚『後宮の烏』などが挙げられる。オレンジ文庫という新たなパッケージのもと、少年主人公小説やファンタジー路線を含めて多様なシリーズが展開されていく一方で、コバルト文庫は少しずつ存在感を失い刊行点数も減少した。

２０１６年以降は少女小説レーベルの休止や雑誌の廃刊、電子書籍への移行が相次ぎ、少女小説市場の苦境が浮き彫りとなった。２０１６年には小学館のルルル文庫が廃刊になり、長年発行されていた雑誌『Cobalt』も休刊、ウィングス小説大賞の終了も発表された。そして２０１９年、コバルト文庫は紙での新刊発行を停止し、以後の新刊は電子オリジナル作品として刊行されるようになった。講談社のホワイトハートも、２０２１年に紙での新刊発行を一部作品を除いて停止し、以後の新刊は基本的に電子オリジナルとして展開中である。この年にはウィングス文庫の母体雑誌であり、１９８８年から続いていた雑誌『小説Wings』も休刊となり、「ＷＥＢ小説ウィングス」に移行した。

　このように少女小説を取り巻く状況には厳しいものがあるが、ここ数年は少女小説レーベル作品のテレビアニメ化が続き、さらには須賀しのぶの『流血女神伝』のコミカライズや、三川みりの『シュガーアップル・フェアリーテイル』のテレビアニメ化が決まるなど、完結済みの過去の名作がメディアミックスされるといった、嬉しいニュースも続いている。一読者としての思いを記せば、少女小説が「姫嫁」一辺倒になり、物語の多様性が後退して閉塞感を覚えていた時期に比べると、近年のラインナップには心が弾む。狭義の少女小説市場は縮小を続けているが、ライト文芸やウェブ小説など、エンターテインメント小説の中に少女小説的なエッセンスを見出すことも少なくない。少女小説の現状をただ嘆くのではなく、他領域への広がりや新たな展開にも希望を見出していきたい。

本書のコラムでは少女小説の各時期の概説に注力したため、紹介しきれなかった要素が多く残されている。各作品のガイドでも少女小説の歴史的背景に触れているので、併せて読んでいただけると補足になるだろう。２０１６年までの少女小説の動向については、『コバルト文庫で辿る少女小説変遷史』の中で掘り下げて解説しているので、興味がある方はそちらをご参照いただきたい。

おわりに

ブックガイド作りは楽しいけれど、何を選んで何を削るのか、選書では毎回悩みに悩みます。この本では「併読のススメ」というコーナーを作ったので、100シリーズ以上の作品を取り上げることができました。それでも入れることが叶わず、泣く泣く諦めざるを得なかった作品も少なくありません。その点は大変申し訳なく思いつつも、今回は「少女小説の歴史とその多様な世界を紹介する」というコンセプトで選書させていただきました。本書では紹介しきれなかった魅力的な小説は、まだまだたくさんあります。この本が少女小説という豊かな世界を知るための第一歩となり、ここから新しい本との出会いが生まれることを願ってやみません。

『少女小説を知るための100冊』で紹介した本の中には、絶版・品切れ本が多数含まれています。有名な作品やあの人気作でさえ電子書籍化されておらず、今はもう手に入らないと知り愕然とすることも残念ながら多いのです。こうした状況を変えるのは簡単なことではありませんが、ブックガイドで言及することで少しでも再評価や復刊の後押しをするのが、私にできる仕事の一つではないかと考えています。書店には並んでいない作品も多いですが、興味がありましたらぜひ探して読んでもらえたら嬉しいです。

最後になりましたが、編集を担当してくださった丸茂智晴さんには多くの示唆とアドバイスをいただきました。お気づきの方もいらっしゃるかもしれませんが、本書のカバーは氷室冴子が企画した角川文庫マイディアストーリーのオマージュになっています。丸茂さんからカバー案が届いた時の心の高まりは、今でも忘れられません。初めての新書がこんなにキュートな一冊に仕上がるとは、嬉しい驚きでした。

少女小説というジャンルに関わってきたすべての作家たちと作品にリスペクトを捧げつつ、これからも少女小説の魅力を伝えていけたらと願っています。この一冊が、あなたにとって少女小説の新しい扉を開くものとなりますように。

少女小説を知るための100冊

二〇二三年 三 月二〇日 第 一 刷発行

著者 嵯峨景子

発行者 太田克史
編集担当 丸茂智晴

アートディレクター 吉岡秀典（セプテンバーカウボーイ）
デザイナー 山田知子＋門倉直美（チコルズ）
フォントディレクター 紺野慎一
校閲 鷗来堂

発行所 株式会社星海社
〒一一二-〇〇一三
東京都文京区音羽一-一七-一四 音羽YKビル四階
電話 〇三-六九〇二-一七三〇
FAX 〇三-六九〇二-一七三一
https://www.seikaisha.co.jp/

発売元 株式会社講談社
〒一一二-八〇〇一
東京都文京区音羽二-一二-二一
(販売) 〇三-五三九五-五八一七
(業務) 〇三-五三九五-三六一五

印刷所 凸版印刷株式会社
製本所 株式会社国宝社

ISBN978-4-06-530308-5
Printed in Japan

次世代による次世代のための

武器としての教養
星海社新書

星海社新書は、困難な時代にあっても前向きに自分の人生を切り開いていこうとする次世代の人間に向けて、ここに創刊いたします。本の力を思いきり信じて、みなさんと一緒に新しい時代の新しい価値観を創っていきたい。若い力で、世界を変えていきたいのです。

本には、その力があります。読者であるあなたが、そこから何かを読み取り、それを自らの血肉にすることができれば、一冊の本の存在によって、あなたの人生は一瞬にして変わってしまうでしょう。思考が変われば行動が変わり、行動が変われば生き方が変わります。著者をはじめ、本作りに関わる多くの人の想いがそのまま形となった、文化的遺伝子としての本には、大げさではなく、それだけの力が宿っていると思うのです。

沈下していく地盤の上で、他のみんなと一緒に身動きが取れないまま、大きな穴へと落ちていくのか？　それとも、重力に逆らって立ち上がり、前を向いて最前線で戦っていくことを選ぶのか？

星海社新書の目的は、戦うことを選んだ次世代の仲間たちに「武器としての教養」をくばることです。知的好奇心を満たすだけでなく、自らの力で未来を切り開いていくための〝武器〟としても使える知のかたちを、シリーズとしてまとめていきたいと思います。

2011年9月

星海社新書初代編集長　柿内芳文